1900

1/91

Farida Halkali

~~Halkali~~

CHIT
CHAT

Arlette Ducourant
Professeur en classes préparatoires

avec la collaboration de

Patrick Meadows Ph. D. (Princeton)
George Mutch M.A., M. Litt.

Illustrations

Yves Guézou

8, RUE FÉROU - 75278 PARIS CEDEX 06

Avant-propos

Au lendemain des travaux du Conseil de l'Europe réuni à Strasbourg en 1973, les enseignants ont été sensibilisés à la pédagogie dite "notionnelle" puis "fonctionnelle" dans l'apprentissage d'une langue vivante. Il était en effet urgent d'introduire un langage de communication orale dans le cursus des études secondaires, ce que rendit officiel le B.O. de 1981. Ce recueil s'inspire donc des catégories de Van Ek, tout en dépassant largement le niveau-seuil exploré par celui-ci.

Chit Chat s'adresse donc en premier lieu à tous les enseignants et étudiants de l'enseignements supérieur ainsi qu'aux grands élèves, qui travaillent dans cet esprit, mais également à tous les adultes qui voyagent beaucoup ou travaillent avec des pays étrangers. L'anglais est en effet le véhicule linguistique international par excellence, le passeport indispensable au futur "Européen", qui devra exporter ses compétences au-delà des frontières de l'Hexagone et tisser des liens économiques et culturels avec le reste du monde.

Dans cette optique, nous avons délibérément introduit, à côté d'expressions **anglaises** un grand nombre d'expressions **américaines,** afin de permettre à l'utilisateur d'accéder à ce qu'on nomme le "Mid-Atlantic English", langage que pratiquent de plus en plus les medias et les exportateurs mondiaux de biens et d'idées.

Nous avons voulu donner à *Chit Chat* le plus de richesse, de variété et d'authenticité possible, sans toutefois ennuyer le lecteur. C'est pourquoi celui-ci y trouvera un très grand nombre d'expressions **idiomatiques** colorées et **humoristiques.** La diversité des registres de langue lui assurera une communication aisée avec toutes les couches socioculturelles du monde actuel. L'utilisation de cet ouvrage est facilitée par des repères clairs quant à la nature du registre utilisé : ▓ pour le langage soigné, ▒ pour la langue familière, et ☐ pour l'argot ou les expressions vulgaires. Quant aux équivalences, elles sont indiquées par la présence d'un trait oblique immédiatement après le mot ou le groupe de mots auquel elles se réfèrent.

Il convient ici de déconseiller vivement aux francophones d'utiliser les mots et expressions précédées du carré blanc, car s'il peut être utile de comprendre ceux-ci, il est souvent choquant, voire dangereux de les utiliser dans une autre langue que la sienne propre.

Vous imaginez sans peine les écueils que nous avons tenté d'éviter, dans ce genre d'ouvrage... C'est une gageure en effet que de vouloir

ISBN 2-7011-1219-2.

cloisonner un élément aussi vivant et mouvant qu'une langue étrangère, pour l'enfermer dans des catégories et sous-catégories presqu'étanches. Il s'agit bien entendu, d'une classification subjective, avec toutes les imperfections que cela peut entraîner. Par ailleurs, la nomenclature des rubriques ne saurait, à l'évidence, être exhaustive.

D'autre part, il est bien plus difficile aujourd'hui qu'il y a cinquante ans de définir avec précision, les limites des **registres** de langue ! En effet, de nos jours, l'éclatement des classes sociales a contribué à une prodigieuse interpénétration des modes de vie et des langages, et ceci à travers toutes les couches de la société. A l'heure où les chefs d'entreprise s'appellent par leur prénom, et balaient les embarras linguistiques pour parer au plus pressé, où la jeunesse a imprégné le tissu social de ses modes et de ses fantaisies, où les cadres supérieurs tendent à gommer les écarts hiérarchiques, pour faciliter la communication, nous sommes amenés à réviser nos critères d'évaluation dans le sens d'une plus grande tolérance envers la langue dite "familière".

Enfin, il entre tellement de facteurs métalinguistiques dans l'expression de chacun, que selon l'intonation, l'humeur, ou l'intention (d'amuser, de blesser, de parodier, etc.) du locuteur, une expression très argotique "passe" parfaitement dans son contexte oral. Par contre, nous sommes conscients qu'imprimées et décontextualisées, ces mêmes expressions peuvent choquer le lecteur. Mais devions-nous pour autant ignorer ces scories du langage qui émaillent quotidiennement le parler d'un nombre grandissant d'interlocuteurs ? C'eût été malhonnête, pudibond et injustifié, dès lors que nous nous adressions à un public averti et responsable.

En tout état de cause, nous espérons que ce recueil permettra à ses lecteurs d'acquérir une plus grande familiarité avec la langue anglo-saxonne parlée, dans toute sa diversité et ses **nuances,** et cela de façon **divertissante !**

Les Auteurs

N.B.
– Nous avons choisi d'utiliser dans cet ouvrage l'orthographe britannique et non l'orthographe américaine.
– Dans la partie anglaise figurent en caractères gras étroitisés les éléments circonstanciels, complémentaires de la fonction.

Nous aimerions remercier Mesdames Juillet et Landazuri pour leurs précieux conseils.

Table des matières

PART ONE Socialising

PART TWO The language of emotion: friendly feelings

PART THREE The language of emotion: hostile feelings

PART FOUR States of mind and emotions

PART FIVE Intellectual activities

PART SIX The language of action

PART ONE

Socialising

1

Greeting
(salutations)

➡ ON ARRIVAL (en arrivant)

Ladies and gentlemen... *(with a nod or a bow)*
Mesdames et messieurs...
Sir... Madam... *(with a nod, a bow or a handshake)*
Monsieur... Madame...
Ladies and gentlemen, good morning/good afternoon/good evening.
Mesdames et messieurs, bonjour/bonsoir. *(le matin, l'après-midi, le soir)*

Good morning, Sir/Madam/Miss/Mr Smith/Mrs Smith/Ms Smith/Miss Smith/John.
Bonjour, Monsieur/Madame/Mademoiselle/Monsieur Smith/Madame Smith/Madame/Mademoiselle Smith *(on emploie 'Ms' pour ne pas avoir à préciser l'état civil d'une femme)*/Mademoiselle Smith/John.
Hello (there), everybody! How are you?
Salut tout le monde! Comment ça va?

How's life? **How's it going?** **How goes it?** **How are things with you?**	Comment ça va?/Ça va pour toi?

Hello there! How do? Salut! Comment va?
Hi!/Hi there! *(US)* Salut!

Hi, guys! *(US)* Salut les gars!
Hello there, mate! How's things?
Salut mon gars! Comment ça marche?

How's tricks? **How're you doing?**	Ça boume?
What's new? **What's up?** *(US)* **What's going on?** *(US)* **What's doing?** *(US)* **What's cooking?** *(US)*	Quoi de neuf?

➡ ON DEPARTURE (en partant)

I wish you (a very) good night.
Je vous souhaite une (très) bonne nuit.

I must be on my way. **I have to be off/be going.**	Il faut que je parte.
I'm afraid I have to go now. **I'm afraid I'll have to be going now.**	Je crains qu'il me faille partir à présent.

Good night, Sir/Madam/Mr Cope/John/...
Bonsoir/Bonne nuit, Monsieur/Madame/Monsieur Cope/John/...
Goodbye. Au revoir.
I look forward to seeing you (again) soon.
J'ai hâte de vous revoir.
I hope to see you again soon.
J'espère vous revoir bientôt.

Bye (bye)! **Bye for now!**	Bye!/Salut!
See you soon! **Be seeing you!** **See you around!** *(US)* **So long!** *(US)* **See you later, alligator!** *(Hum.) (The answer is : 'In a while, crocodile.' Derived from a 50s pop song.)*	A la prochaine!/A bientôt!

Bye all! Salut tout le monde!
Ciao! Ciao!

Catch you later! *(US.)* **See you!/See ya!** **See you in church!**	A la revoyure!/A un de ces quatre!

2

Asking someone to pass on one's greetings

(transmettre des salutations)

Remember us to your parents, please.
Nos amitiés à vos parents.

Say hello to your parents for us.
Dites bonjour à vos parents pour nous.
Say hi to Patricia for me. *(US)* Dis bonjour à Patricia pour moi.
Give Jim my best wishes. Salue Jim pour moi.
Give the children my love.
Embrasse les enfants de ma part.
My love to Grandad. Embrasse papy pour moi.
Give a hug to Mom and Dad for us! *(US)*
Fais une bise à papa et maman pour nous.

- **Certainly.**
- **I'll do that.**
- **Of course.**
- **Sure.**
- **O.K.**
- **Will do!**

Je n'y manquerai pas./D'accord.

3 Introducing

(présentations)

May I introduce you to my new colleague – Miss Sinclair?
Puis-je vous présenter ma nouvelle collègue, Mademoiselle Sinclair?
I should like to introduce you to my new colleague – Mr Grey.
J'aimerais vous présenter mon nouveau collègue, M. Grey.

- **How do you do, Miss Sinclair/Sir?**
Enchanté, Mademoiselle Sinclair/Monsieur.

I'd like you to meet the young designer I spoke to you about.
J'aimerais vous faire rencontrer le jeune modéliste dont je vous avais parlé.
- **Mr?** Monsieur...?
- **Pleased to meet you.** Ravi de faire votre connaissance.

Hello! Let me introduce myself. I'm Alan Jones.
Bonjour! Je me présente : Alan Jones.
- **Hello! I'm Jean Adams.** Bonjour. Moi, c'est Jean Adams.
- **Glad/Nice to know you, Jean.** *(US)*
- **Pleased to meet you, Jean.**

Content de faire votre connaissance, Jean.

Good evening. You must meet my wife, Sandra.
Bonsoir. Il faut absolument que vous fassiez la connaissance de ma femme, Sandra.
Meet my wife, Sandra. Voici ma femme, Sandra.
- **At last! We've heard so much about you!**
Enfin! On nous a tant parlé de vous!

Hello, David. Do you know Isobel, my sister?
Bonjour, David. Tu connais ma soeur, Isobel?
- **No, I don't.** Non.
- **Well, you do now!** Eh bien, voilà qui est fait!

Hello, David. Have you met my sister, Isobel?
Bonjour, David. Tu as déjà vu ma soeur, Isobel?
- **No, I haven't.** Non.
- **Well, you have now!**
Eh bien tu ne pourras plus en dire autant!

Veronica, meet Phil.
Veronica, this is Phil.

Veronica, c'est/voici/voilà Phil.
- **Hi, Phil!** *(US)* Salut, Phil!
- **Hi!** *(US)* Salut!

My name's Mike. What's yours? Je m'appelle Mike, et vous?
- **Smith's the name, oil's the game!** *(US, Hum.)*
Moi, c'est Smith, dans le pétrole.

- **How're you doing?** *(US)* Comment ça va?
- **Nice to know you.** *(US)* Ravi de vous connaître.

4

Welcoming

(bienvenue)

Welcome!
Vous êtes le bienvenu (la bienvenue, les bienvenus, etc.) parmi nous/chez nous.
Won't you come in, please? Rentrez donc, je vous en prie.
To what do I owe the pleasure/honour of this visit?
A quoi dois-je le plaisir/l'honneur de votre visite?

What a lovely surprise to see you here!
Vous ici? Quelle bonne surprise!
Do come in and make yourself at home.
Rentrez donc et mettez vous à l'aise./Vous êtes ici chez vous.

Come in, won't you? **Do come in!**	Rentrez donc, je vous en prie.
Let me take your coat. **Do give me your coat.** **I'll take your coat.**	Donnez-moi donc votre manteau, voulez-vous?
Do have a seat. **Do sit down.** **Sit down, won't you?** **Take a seat.**	Asseyez-vous, je vous en prie.

What can I get you? Que puis-je vous offrir?
What would you like to drink?
Qu'est-ce que je peux vous offrir à boire?
What do you fancy? *(GB)* Qu'est-ce qui vous ferait plaisir?
You'll have a little whisky, won't you?
Vous boirez bien un petit whisky?
You wouldn't say no to a sherry, would you?
Vous ne refuserez pas un verre de xérès?

▪ **Don't go to any trouble for me.** ▪ **Don't go to any bother on my behalf.** ▪ **Don't put yourself out for me.**	Ne vous dérangez pas pour moi.

If you need anything, just help yourself/just ask.
Si vous avez besoin de quoi que ce soit, servez-vous/il suffit de demander.
Glad you could make it!
Je suis content que tu aies pu te libérer.

We're glad you blew in!/rolled up! *(US)*
C'est chouette d'avoir poussé jusqu'à nous!
Take a pew! *(GB)* Assieds-toi!
Take a load off! *(US)* Pose-toi là!

5

Offering

(offre)

➡ OFFERING ONE'S HELP (offre d'aide)

You may use our services as you please.
Usez de nos services comme bon vous semblera.
We are entirely at your disposal.
Nous sommes à votre entière disposition.

I'd be pleased to help you.
Je serais ravi de vous aider.
I'll be glad to help you.
Trop heureux de vous aider.
Ask us, if need be. *(GB)*
Demandez nous, en cas de besoin.

Can I be of any help to you? **Can I help you at all?** **Is there any way I can help you at all?**	Puis-je vous être utile/d'une utilité quelconque?
▪ **Thank you, that's very kind of you.** ▪ **You're very kind/most kind.** ▪ **That's really kind of you.**	Merci, c'est très aimable à vous.

▪ **You're an angel.** Tu es un ange.
▪ **You're a dear/a pet** *(GB)* Tu es un amour.

▪ **It's kind of you to offer, but there's nothing you can do.**
C'est gentil de vous proposer, mais vous ne pouvez rien faire pour nous.
▪ **Please don't bother/trouble yourself.**
Ne vous mettez pas en peine.
▪ **We should manage on our own/by ourselves, thanks.**
On devrait pouvoir s'en tirer tout seuls, merci.

Anything I can do? Je peux quelque chose pour vous?

Does anyone need a hand? **Does anyone need any help?**	Vous avez besoin d'un coup de main?

You can count on me if need be/if the need arises.
Vous pouvez compter sur moi en cas de besoin.
Can I be of any service/any use?
Je peux être utile en quoi que ce soit?

Can I help you (to) carry your suitcase? **Can I give you a hand with your suitcase?**	Je peux t'aider à porter ta valise?

Would you like a hand in the garden?
Vous voulez un coup de main pour le jardinage?
Are you sure you can manage on your own?
Vous êtes sûr que vous allez pouvoir vous débrouiller seul?
Can I lend you a hand?
Je peux te donner un coup de main?
Can we help you out? On peut te sortir de là?

Holler if you need us! Tu appelles et on est là!
We'd be happy to chip in.
On serait content de mettre la main à la pâte.

We'd be happy to go halves/to split the difference.
On serait content de partager les frais.
If anything goes wrong/Should anything go wrong, just call me. I'll be right there!
En cas de pépin, appelez-moi. Je serai là tout de suite.

➡ IN SHOPS (dans un magasin)

I'm at your disposal, sir.
At your service, sir.
Je suis à votre service, Monsieur.

What can I do for you, madam?
Que puis-je pour votre service, Madame?
Can I offer you some advice?
Puis-je vous conseiller utilement?
May/Can I help you, Madam?
Puis-je vous servir, Madame?
I'll be with you in two minutes/in a couple of seconds/in a jiffy.
Je suis à vous dans 2 minutes/dans 1 seconde/tout de suite.
Have you been helped/served?
On s'est occupé de vous?
Is someone helping/serving you?
On s'occupe de vous?

➡ AN EVENING OUT (pendant une soirée)

What can I offer you? Que puis-je vous offrir?

What can I get you? **What can I fix you?** *(US)*	Qu'est-ce que je vous commande/propose?

What would you like to drink? Que voulez-vous boire?
What would you care for? Qu'est-ce qui vous ferait plaisir?
What would you care for in the drink(s) line?
Qu'est-ce qui vous tente comme boisson?
Who'd like champagne? Qui veut du champagne?
Champagne all round? Champagne pour tout le monde?

Care for a glass of champers? Du champ' ça vous dit?
Who's for a G 'n T *(= gin and tonic)***?**
Qui veut du gin-tonic?

Do you feel like a drink?
Vous n'avez pas envie de prendre un verre?
What would you say to a cup of tea?
Que dirais-tu d'une tasse de thé?
What about a cocktail? Un cocktail, ça te va?

What's your poison? Qu'est-ce que tu prends?

➡ AT THE PUB/BAR (au pub/café)

This round's on me. What'll you have? **This is my round. What are you having?**	C'est ma tournée. Qu'est-ce que vous prenez?

Drinks all round, barman, please! *(GB)*
Garçon! Je paie une tournée générale!
You'll have a drink, won't you?
Vous allez bien prendre un verre?
Have a drink! Prenez donc un verre!

I'll stand you a drink. *(GB)* **Let me buy you a drink.** **Let me stand you a drink.** *(GB)*	Je vous offre un verre/un pot.

You'll have a drink with us, won't you?
Venez prendre un verre avec nous.
- **I wouldn't say no.** Ce n'est pas de refus!

Won't you join us for a drink? **Like to join us for a drink?**	Vous venez prendre un pot avec nous?

Set us up, bartender! *(US)*
Garçon! Vous vous occupez de nous, s'il vous plaît?

Like a cigarette? Vous voulez une cigarette?
Want a smoke? Cigarette?

➡ AT TABLE (à table)

You'll have some more roast (beef/pork/lamb), won't you?
Reprenez donc du rôti!

- **It was delicious, but I'm full up.** *(GB)*
  C'était délicieux, mais je n'ai plus faim/je suis repu(e).
- **Yes, please! It's delicious.** Merci/Avec plaisir. Il est délicieux.

Do help yourself. Je vous en prie, servez vous donc!

- **No, thank you. I've had enough.**
  Non, merci. Je n'ai plus faim.
- **I shouldn't, but...** Je sais que je ne devrais pas mais...

Have some more gravy! Reprenez de la sauce!

▪ **No, really, I'm full up.** *(GB)* ▪ **No, really, I couldn't possibly.**	Non, vraiment. Je n'en peux plus!

- **All right. But it's pure greed on my part.**
  D'accord mais c'est par pure gourmandise.

Have a little wine! Un peu de vin?

- **No, thanks. Thanks all the same.**
  Non, merci. Merci quand même.
- **Yes, please! Thanks.** Avec plaisir! Oui, s'il vous plaît.

➡ THANKING (remerciements)

I'm much obliged to you. Je vous suis très obligé(e).
I'm greatly indebted to you.
Je ne vous remercierai jamais assez.
Thank you so very much.
Je ne sais comment vous remercier.

Thank you./Thanks. Merci.
Thank you so much. Je vous remercie infiniment.

Thank you very much. **Many thanks.** **Thanks a lot.**	Merci beaucoup.

Thanks a million. I hope it wasn't too much bother.
Merci mille fois. J'espère que je ne vous ai pas trop dérangé.

▪ **Don't mention it.** ▪ **It's a pleasure.** ▪ **The pleasure's mine.** ▪ **A pleasure!** ▪ **That's all right.** ▪ **It's quite all right.** *(GB)*	Pas de quoi./Je vous en prie.

You really shouldn't have, you know!
Vous n'auriez pas dû, vraiment!
That really wasn't necessary!
Vraiment, vous n'auriez pas dû.
How can I ever thank you?
Je ne pourrai jamais assez vous remercier.

- **That's O.K.** De rien.

Ta./Ta very much. *(GB)* Merci./Merci beaucoup.

6

Granting and refusing permission

(donner et refuser une permission)

Would you object if I used your phone? **Would you mind if I used your phone?** **Would you object to my using your phone?** **Would you mind my using your phone?**	Verriez-vous une objection à ce que je téléphone de chez vous ?

▪ **Of course not. Go ahead./Please do.** ▪ **Not at all. Feel free./Help yourself.**	Bien sûr que non !/Allez-y, je vous en prie.

▪ **I'm sorry but (I'm afraid) you can't use it.**
Désolé(e). Ça n'est pas possible.

With your permission, I'd like to talk it over with my wife.
Avec votre permission, j'aimerais en discuter avec ma femme.

▪ **Certainly, sir.** ▪ **Of course, sir.**	Bien sûr, Monsieur./C'est naturel, Monsieur.

I'm afraid that won't be possible, sir.
Je crains que malheureusement ce ne soit pas possible.

Could I use your bathroom, please?
Pourrais-je utiliser vos toilettes, s'il vous plaît?

▪ **Of course.** ▪ **Certainly.** ▪ **Sure.** ▪ **No problem.** ▪ **You bet.** *(US)*	Je vous en prie./Bien entendu./Ça va de soi.

▪ **Sorry, I think there's someone in there already.**
Désolé(e), mais je crois que c'est occupé.

Can I borrow your hair-dryer?
Je peux t'emprunter ton sèche-cheveux?

▪ **Help yourself.** ▪ **Go ahead.** ▪ **Sure.** ▪ **Sure thing.** *(US)*	Sers-toi./Il est à toi./Je t'en prie./Bien sûr.

▪ **Sorry, but I'm not finished with it (yet).**
Désolé(e). J'en ai encore besoin.

■ **Not now. Later, if you like.**
Pas maintenant. Plus tard si tu veux.

Do you mind if I put on a record?
Ça ne te fait rien si je mets un disque?

■ **Not at all.**
■ **Go ahead.**
■ **Feel free.**
Non, bien sûr./Vas-y./C'est O.K.

■ **Yes, I do. I've got work to do.**
Si, justement. J'ai du travail à faire.

■ **Not now, please.** Pas maintenant, s'il te plaît.

7

Apologising
(excuses)

I'm awfully sorry. **I'm terribly sorry.** **I'm so sorry.**	Je suis absolument navré(e).

Sincere apologies. Toutes mes excuses les plus sincères.
I do beg your pardon. *(GB)* Je vous prie de m'excuser.
Do excuse me, please. *(GB)*
Je vous présente toutes mes excuses.

▪ **Don't mention it.** ▪ **That's all right.** ▪ **Don't worry.** ▪ **No harm done.** ▪ **No offence taken.**	Je vous en prie.

▪ **No problem.** ▪ **That's O.K.** ▪ **It's no big deal.** *(US)*	Ce n'est rien.

I'm sorry really./I'm really sorry.
Je suis vraiment désolé(e).
Excuse me. Excusez-moi.

Whoops!/Ooops! Oh! Désolé(e)!

Oh dear! Oh, mon Dieu!
Sorry! Désolé(e)!

I could kick myself! Je me flanquerais des coups!

I feel really badly about it. **I'm heartsick about it.** *(US)*	J'en suis malade.

8

Expressing good wishes

(vœux)

➡ EVERYDAY SITUATIONS

(situations quotidiennes)

All the best! Porte-toi bien!
Good luck! Bonne chance!

Have a nice holiday! **Enjoy your holiday!**	Bonnes vacances!

Make the most of your holidays!
Profite bien de tes vacances!
Have a good/nice time! Amuse-toi bien!

Happy hunting! Bonne chasse!
Break a leg! *(For actors and public performers especially. It is bad luck to wish them 'Good luck'.)* M...!

Have a pleasant evening! Passe une bonne soirée!

Have fun! **Enjoy yourselves!** **Have a ball!** *(US)*	Amusez-vous bien./Prends du bon temps!

Sleep well! Dors bien!
Sweet/pleasant dreams! Fais de beaux rêves!
Have a nice day! *(US)* Passe une bonne journée!

EXAMINATIONS (examens)

Good luck with/in your exams! *(GB)* **Good luck with/on/for your exams!** *(US)*	Bonne chance pour tes examens!

The best of British luck! *(GB, Hum.)* Bonne chance!

CELEBRATIONS (fêtes)

Happy birthday! **Many happy returns!** *(GB)* **Many happy returns of the day!** *(GB)*	Bon anniversaire!/Joyeux anniversaire!

Happy birthday and many more/and many (more) of them!
Joyeux anniversaire et longue vie à toi!
Happy anniversary!
Joyeux anniversaire (de mariage, etc.)
Happy Easter! Joyeuses Pâques!

Happy Christmas! *(GB)* **Merry Christmas!**	Joyeux Noël!

Happy New Year! Bonne Année!
Best wishes for the New Year!
Tous mes vœux pour le Nouvel An!
Happy Father's Day! Bonne fête, papa!
Happy Mother's day! Bonne fête, maman!
Congratulations! Félicitations!
Congratulations on your engagement!
Toutes nos félicitations pour vos fiançailles!
Here's to the happy couple! Vive les mariés!

ILLNESS (maladie)

Get well soon! Guérissez vite!

I wish you a speedy recovery.
Je vous souhaite un prompt rétablissement.

Hope you get well soon.
J'espère que vous allez guérir bien vite.

I wish you well. **Stay well!** *(US)*	Je vous souhaite une bonne santé.

➡ AT THE PUB (au café)

Your (very good) health! A votre (bonne) santé!
Good health! A ta santé!
Here's to your success! A tes succès!
To us! A nous!
Here's to you! Je lève mon verre à ta santé!
Cheerio *(GB) (vieilli)*/**Chin-chin** *(GB)*/**Cheers!**
A la vôtre!/A la tienne!/Chin!

Bottoms up! C... sec!
Down the hatch! Et hop! Derrière la cravate!

➡ BEREAVEMENT (décès)

Our sincere condolences on your sad loss.
Nos sincères condoléances.
Please accept my deepest sympathy.
Veuillez accepter toute ma compassion.

Please accept our whole-hearted sympathy. **We should like to extend our deepest sympathy to you.**	Avec toute notre sympathie.

My heart goes out to you at this time.
Je compatis sincèrement.
I feel for you at this time.
Je suis de tout cœur avec vous.

PART TWO

The language of emotion: friendly feelings

1

Trust

(confiance)

I have absolute confidence in that lawyer.
J'ai toute confiance en cet avocat.
I believe her to be above all suspicion.
Je la crois au-dessus de tout soupçon.
I would trust him with my life.
J'irais jusqu'à lui confier ma propre vie.
Far be it from me to suspect him of such action.
Loin de moi la pensée qu'il pourrait agir ainsi.
I wouldn't even question his honesty.
Je ne mettrais même pas sa parole en doute.

I leave it entirely up to you.
Je m'en remets complètement à vous.
I feel perfectly safe with you at the wheel.
Je me sens en parfaite sécurité quand vous êtes au volant.
I know that I can count/rely on you for your support.
Je sais que je peux compter sur votre appui.
I believe you 100%. Je crois tout ce que tu as dit.
He trusts her blindly. Il a une confiance aveugle en elle.
There isn't the slightest doubt in my mind; they're innocent.
Il n'y a pas le moindre doute à mes yeux – ils sont innocents.
I have never doubted his honesty and integrity.
Je n'ai jamais douté de son honnêteté ni de son intégrité.
I've decided to give you a free rein in the matter.
J'ai pris la décision de vous donner carte blanche/laisser les coudées franches dans cette affaire.
If you say so, I'll take your word for it.
Je vous croirai sur parole.
Since it's you, I'll take you at your word.
Puisqu'il s'agit de toi, ta parole me suffit.
He's a man of his word.
His word is as good as gold. *(US)*
His word is as good as his deed. *(GB)*
→ Il n'a qu'une parole.
He'd never do the dirty on us.
Il ne nous jouerait pas un tour de cochon.
He's no double dealer, that's for sure.
Ce n'est pas un faux-jeton; aucun doute là-dessus.

You can believe him; he's up front.
Vous pouvez le croire : il est franc comme l'or.
He calls it as he sees it. Il dit ce qu'il pense.
She's on the level. C'est une fille droite.
She's a straight shooter. Elle est directe dans ses propos.
He's an honest injun. *(US)* C'est un type réglo.

2

Approval and satisfaction

(approbation et satisfaction)

We have every reason to be satisfied with you.
Nous avons tout lieu d'être satisfait de vous.

We can only praise your good work.
Nous ne pouvons que louer la qualité de votre travail.

We haven't words enough to say how happy we are with you.
Nous manquons de mots pour dire combien nous sommes contents de vous.

We can't praise your work enough.
Votre travail est au-dessus de tout éloge.

You deserve our heartiest congratulations.
Vous méritez toutes nos félicitations.

You certainly knew how to anticipate our every need.
Vous avez su prévenir nos moindres besoins.

We couldn't have done better ourselves, you know.
Nous n'aurions pas pu faire mieux nous-mêmes.

It was a real flash of inspiration on your part to do that.
Ç'a été un véritable trait de génie de votre part de faire ça.

That was the best way to handle such a tricky situation.
C'était la meilleure façon de régler une situation aussi délicate.

That was the wisest thing to do.
C'était la voie de la sagesse.

This was exactly what was expected of you.
C'est exactement ce que nous attendions de vous.

Well done!
Bravo!
Very good!
Très bien!

Perfect! Parfait!

Superb! Formidable!

Good work! C'est du bon travail!

Keep it up!
Keep up the good work!
C'est du bon boulot!
Continuez comme ça!

You certainly didn't spare your efforts.
Vous n'avez pas ménagé vos efforts, c'est sûr.

You certainly haven't saved on the (old) elbow-grease!
You certainly didn't go easy on the (old) elbow-grease!
Vous n'avez pas pleuré l'huile de coude.

You really went at it hammer and tongs! *(GB)*
On peut dire que tu en as mis un coup!

You deserve a pat on the back. **You should pat yourself on the back.**	Vous avez tout lieu d'être fier de vous.

We sure are proud of you! *(US)*
On est rudement fier de toi!
We're pretty happy with your work here.
On est drôlement content de ton travail ici.

That's a pretty fine job you've done there. **You've done a first-rate job there.**	Tu as fait un sacré bon boulot!

Way to go!/All right!
C'est ce qu'il fallait faire!/C'est bien!
Right on!/Good going! Continue!/C'est bien!

That's a real neat job you've done there.
Ça c'est du fignolé!
You've made a (damned) good job of it, I must say.
C'est un sacré bon boulot que tu nous as fait là.

I really got off on your performance.
J'ai été emballé par votre exploit.
What you said really hit the spot!
Tu ne pourrais pas mieux dire!/Bien trouvé!
What you said was music to my ears!
En t'écoutant je buvais du petit lait.
You've really earned your Brownie points! *(US)*
Tu mériterais d'être décoré.

3
Comforting
(consolations)

All is not yet lost. Tout n'est pas encore perdu.
Hope against hope!
Il faut croire aux miracles. Il ne faut jamais désespérer.

Stop tormenting yourself like that.
Cessez de vous tourmenter ainsi.
Try to pull yourself together.
Essayez de vous ressaisir.
You've no reason to worry at all.
Vous n'avez nulle raison de vous inquiéter.
You've no reason to worry any longer.
Vous n'avez plus aucune raison de vous inquiéter.
Everything is all right now.
Tout va bien à présent.
Everything's going to be just fine - you'll see.
Tout va s'arranger au mieux, vous verrez.
There's no cause for alarm.
Pas de quoi se faire du mauvais sang.
Come on now, don't upset yourself like that.
Allons, ne vous rongez pas les sangs ainsi!
Don't get into such a state.
N'allez pas vous mettre dans un état pareil maintenant.
If you go on like that, you'll worry yourself sick.
Si vous continuez ainsi, vous allez vous rendre malade.
Don't go making a mountain out of a molehill.
Il n'y a pas de quoi en faire une montagne!
Look on the bright side!
Il faut voir le bon côté des choses.
Stiff upper lip now! *(vieilli) (GB)* Allez! Du cran!
Do try and get a grip on yourself.
Il faut absolument essayer de reprendre le dessus.
Cheer up! Things can't go on like this for ever.
Courage! Les ennuis ne peuvent pas durer éternellement.
There are plenty more fish in the sea.
Un de perdu, dix de retrouvés!
Don't fret. Ne te bile pas!
There's nothing to get worked up about.
Il n'y a pas de quoi se mettre dans tous ses états.
There, there, it's all right. Allons, allons, tout va bien.
There now, don't cry. Allons, ne pleurez pas.
There now, don't make yourself ill.
Allons, ne vous rendez pas malade.

After all, it's no big deal! *(US)* **After all, it's no great shakes!** *(US)*	Pas de quoi fouetter un chat!

Don't go troubling your little head about it.
Ne va pas te casser la tête pour cela.
Chin up! Every dog has his day.
Du cran! Il y a une trêve même pour les malchanceux!

PROVERBS

Hope springs eternal. Tant qu'il y a de la vie...

Every cloud has a silver lining. **There's always sunshine after rain.**	Après la pluie le beau temps.

There's/It's no use crying over spilt milk.
Ce qui est fait est fait : rien ne sert de pleurer.
It's an ill wind that blows nobody (any) good.
A quelque chose malheur est bon.

THERE ARE PLENTY MORE FISH IN THE SEA, JENNIFER.

4

Sympathy
(compassion)

My heart goes out to you at this time.
Je suis de tout cœur avec vous en ce moment.
We extend our deepest sympathy to you.
Nous compatissons sincèrement avec vous.
I sympathise with them with all my heart.
Je les plains de tout mon cœur.

What an ordeal you must have gone/been through!
Quelle épreuve cela a dû être pour vous!
Having that operation must have been sheer hell.
Cette opération a dû être absolument atroce.
It must have been awful to find your house empty.
Ç'a dû être affreux de trouver votre maison vide!
What a terrible blow for you!
Quel coup épouvantable cela a dû être!
That must have been the last straw.
Ç'a dû vous achever.
Poor man/woman/Lucy!
Pauvre homme/femme/Lucy!
How unfortunate! Quelle déveine!
They are a sorry sight, I'm afraid to say.
Ils font pitié, je vous assure.
It came as a shock to me to hear she had passed away.
Ça m'a fait un choc d'apprendre qu'elle était morte.
That was a real blow to us all.
Ça nous a porté un rude coup.

They're really out of luck just now. **Their luck seems to have run out.** **They're down on their luck just now.**	Ils n'ont vraiment pas de chance en ce moment.

It breaks your heart to see their house in such a state.
Ça fait mal au cœur de voir dans quel état est leur maison.
I could have cried. J'en aurais pleuré.
What he told me knocked me for six. *(GB)*
Ce qu'il m'a dit m'a flanqué un coup!

There's a jinx on the poor blighters. **The poor blighters are jinxed.**	Ces pauvres bougres ont la guigne.

Poor chap! It's enough to make you weep. *(GB)*
Pauvre vieux. C'est à en pleurer!

Hard luck! **Tough luck!**	Manque de pot!

That was all you needed!
Il ne te manquait plus que ça!
It was a slap in the face to hear your bad news.
Cette mauvaise nouvelle nous a flanqué un coup.
We're with you all the way.
On est de tout cœur avec vous.
They're really down in the dumps right now.
Ils sont en pleine déprime en ce moment.

She's between a rock and a hard place.
Elle n'a vraiment pas le choix. Elle est coincée.
It's really hard for her sledding now. *(US)*
Ça ne va vraiment pas tout seul pour elle.

Poor Joe! That really cooked his goose! **Poor Joe! That really pulled the rug from under him!**	Pauvre Joe! Ça l'a achevé!

PROVERB

It's/It was the last straw that breaks/broke the camel's back.
C'est la goutte d'eau qui fait/a fait déborder le vase.

Concern
(sollicitude)

May I ask you what the problem is?
Quel est le problème, si je puis me permettre?
I don't want to seem inquisitive, but what's wrong with you?
Je ne veux pas être indiscret mais qu'est-ce qui ne va pas?

What's the matter? You look worried.
Que se passe-t-il? Vous avez l'air soucieux.
What's wrong? Qu'est-ce qui ne va pas?
What's up? Qu'est-ce qui se passe?
What's happened? Qu'est-ce qui est arrivé?
What's the trouble? Qu'est-ce qui ne va pas?
What's going on? *(US)* Qu'est-ce que tu as?
Nothing serious, I hope? Rien de grave j'espère.
You look out of sorts. Any problems?
Vous avez l'air tout retourné : vous avez des problèmes?
You look a bit under the weather.
Vous n'avez pas l'air en forme.
You don't look your usual self.
Vous n'avez pas l'air comme d'habitude.
You're not in for a dose of the 'flu', are you?
Vous ne couvez pas une grippe au moins?
You haven't caught a cold, have you?
Vous n'avez pas pris froid, dites-moi?
Are you sure you're all right?
Vous êtes sûr(e) que ça va bien?
You're as white as a sheet. Vous êtes blanc comme un linge.
You're as white as a ghost.
Vous êtes d'une pâleur à faire peur.
You're as white as paper.
Vous avez une mine de papier mâché.
I'm worried about my elder/eldest son.
Je me fais du souci pour mon fils aîné.
I'm going grey with worry. Je me fais des cheveux.

I'm worrying myself stiff/sick. **I'm worried sick.**	Je me fais un sang d'encre.
What's wrong? You'd think you'd seen a ghost!/You look as if you've seen a ghost!	Que se passe-t-il? Tu as l'air de quelqu'un qui a vu passer son corbillard.

Can I do anything at all for you?
Est-ce que je peux faire quelque chose pour vous?
What can I do for you? Que puis-je faire pour vous?
Maybe it would help you to get it off your chest.
Ça vous soulagerait d'en parler peut-être?

6

Congratulations
(félicitations)

I'd like to congratulate you on your success.
J'aimerais vous féliciter pour votre réussite.
Allow me to congratulate you on your examination results.
Permettez moi de vous féliciter pour vos résultats d'examen.
Our heartiest congratulations on your being promoted!
Toutes nos félicitations pour votre promotion.

Well done! Bravo!
Congratulations! Félicitations!
Fantastic! Formidable!/Fantastique!
Great! Sensationnel!
Super! Formidable!
Marvellous! Magnifique!
I must say you're a first-rate cook, Mary.
Je dois avouer que vous êtes une cuisinière hors-pair, Marie.
That was some meal you cooked last night!
Vous nous avez fait un sacré repas hier soir!
I take off my hat to you. Chapeau!
You deserve a pat on the back!
Voilà qui est vraiment bien!
The others were not a patch on you. *(GB)*
Les autres ne vous arrivaient pas à la cheville.
Well done, lads! You really showed them how to play football!
Bravo les gars! Vous leur avez montré comment on joue au football!
Well done! You beat them hands down!
Vous les avez battus les doigts dans le nez.
Well done! You were just great/terrific!
Vous avez été formidables! Tout simplement!

Way to go!/That's the way to go!
Bien vu!/Bien joué!/Bien envoyé!
All right! Bien!/Bon!
Thumbs up! C'est comme ça!/Super!
Good going! C'est bien!

7

Esteem

(estime)

He's highly esteemed/much esteemed/held in high esteem by his colleagues at work. Ses collègues le tiennent en haute estime.
He's much thought of. On pense grand bien de lui.
You can't but bow to his superior knowledge.
On ne peut que s'incliner devant la supériorité de son savoir.
His conduct was beyond reproach.
Sa conduite a été exemplaire.
I can't praise the firemen enough for what they did.
Je n'ai pas assez de mots pour féliciter les pompiers de ce qu'ils ont fait.
They deserve all praise for their prompt action.
Il est tout à leur honneur d'avoir agi si vite.
His success is all the more to his credit as no-one helped him at all.
Il a d'autant plus de mérite à avoir réussi que personne ne l'a aidé d'aucune façon.
He's a master of his craft.
He's a master in his own field. | C'est un orfèvre en la matière.

He knows how to behave like a gentleman.
Il sait se conduire en gentleman.
She's a real lady/a proper lady. C'est une dame.
He's a real gentleman/a proper gentleman.
C'est un vrai gentleman.
She's what I call a real lady/a real 'gent'.
C'est ce que j'appelle une dame/un monsieur.
What nerve she showed! Quel cran elle a eu!
She stayed as cool as a cucumber.
Elle a gardé tout son sang-froid.
She's certainly got her head screwed on the right way!
Elle a la tête sur les épaules celle-là!

(There are) no flies on him!
Il n'est pas né de la dernière pluie celui-là!
He sure has guts. *(US)* Il a quelque chose dans le ventre.

They've got what it takes to be successful in business.
Ils ont ce qu'il faut pour réussir en affaires.
He's no fool! Ce n'est pas un imbécile.
He's nobody's fool! On ne la lui fait pas!

She's the pick of the bunch/the cream of the crop/the top of the heap/la crème de la crème.
C'est le dessus du panier/la crème de la crème.

He's a big shot! *(US)*
C'est une huile/un gros bonnet/une grosse légume!
You're the tops! Vous êtes la crème.

I take my hat off to you. Je vous tire mon chapeau.
No one can hold a candle to you.
Personne ne vous arrive à la cheville.
We think the world of them!
On pense le plus grand bien d'eux.
He puts her on a pedestal. Il l'idolâtre.
Let's give them the red carpet treatment!
On va leur dérouler le tapis rouge.
Everyone looks up to him. Tout le monde l'admire.

He's first among equals! Il est vraiment hors-pair!
He's number one! / **He's Numero Uno!** *(US)* — C'est le plus grand!/le meilleur!

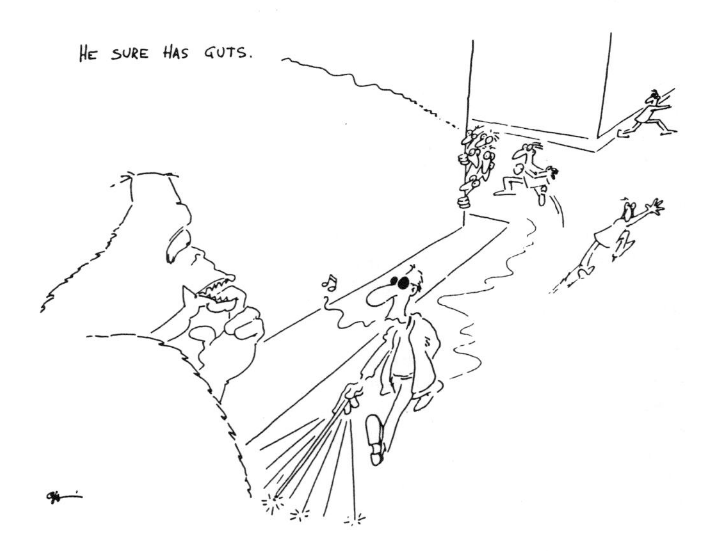

8

Admiration

(admiration)

This garden is a real marvel/a sheer delight.
Ce jardin est une pure merveille.
The Crown Jewels are absolutely magnificent.
Les joyaux de la Couronne sont absolument magnifiques.
Their house is decorated with exquisite taste.
Leur maison est décorée avec un goût exquis.
This book is a little masterpiece.
Ce livre est un petit chef-d'œuvre.
Without a doubt she was the belle of the ball.
Elle était incontestablement la reine du bal.

What lovely children you have!
Quels beaux enfants vous avez là!
She's as pretty as a picture.
Elle est belle comme le jour.
You're a sight for sore eyes.
Vous êtes une beauté.

Black suits you to perfection. Le noir vous va à ravir.

That dress suits you down to the ground.
Cette robe vous va à la perfection.
He looks so smart in that three-piece suit.
Il est si élégant dans ce costume trois-pieces.
The view from up here is quite breath-taking.
The view from up here takes your breath away.
La vue d'ici est époustouflante/à vous couper le souffle.
A Jaguar? There's a car for you!
La Jaguar, ça c'est une voiture!
Smashing! *(GB)* Sensationnel!
Tremendous! Formidable!
Fantastic! Fantastique!
Fabulous! Fabuleux!
Incredible! Incroyable!
Out of this world! Inouï!
Superb! Somptueux!
Great!
Terrific!
Brilliant! *(GB)*
Magic! *(GB)*
Épatant!/Fantastique!/Génial!
They've got what it takes. Ils ont ce qu'il faut, là où il faut.

He's a crack driver. *(GB)* C'est un chauffeur hors-pair.
You can't half play chess well!
Qu'est-ce que vous jouez bien aux échecs!
You're some chess-player! Les échecs, ça vous connaît!
What class! Quelle classe!

I'm no match for him. **I'm not a patch on him.** **I can't hold a candle to him.**	Je ne lui arrive pas à la cheville.

I look up to him. Je l'admire beaucoup.
He's something of a whizz kid.
C'est un petit prodige en quelque sorte.
He's on the ball. Il est toujours dans le coup.
She's able to charm the birds from the trees.
Elle est le charme personnifié.
She's as bright as a button. Elle a oublié d'être bête.

She's as cute as a bee's knee/a bug's ear/a button. *(US)*
Elle est jolie comme un cœur.
She's not bad, that bird! *(accompanied by a "wolf whistle" – a whistle of approval) (GB)* Pas mal la minette!
She's a cool chick *(US)* C'est une chouette nana.
She's a cute trick. *(US)* Elle est absolument adorable.
She's a smooth apple. *(US)* Elle est absolument délicieuse.
She's as nice as pie. *(US, Southern States)*
Elle est à croquer.
He's a real hunk. *(US)* Il est drôlement baraqué.
He's a cool dude! *(US)* C'est un mec super!
You're too much! *(US)* Tu es trop!
That's neat! *(US)* C'est chouette!
That's cool! C'est super!
That's far out! C'est cool!

Likes

(goûts, inclinations)

We've fallen in love with this little town.
Nous avons été absolument conquis par cette petite ville.
We take a particular interest in modern art.
Nous avons une prédilection pour l'art moderne.
We absolutely adore wines from the Loire Valley.
Nous raffolons des vins de Loire.
We find her books **absolutely fascinating.**
Nous trouvons ses livres absolument fascinants.
We're the first to admit that **we dote on** our grandchildren.
Nous sommes les premiers à admettre que nous sommes gâteux de nos petits enfants.

We're very keen on modern architecture, you know.
Nous sommes très férus d'architecture moderne, vous savez.
We love music by Pierre Boulez.
Nous adorons la musique de Pierre Boulez.

I'm rather partial to Mozart.
J'aime tout particulièrement Mozart.

I'm fond of watching football.
J'aime bien regarder le football.
I've nothing against sport. But **I like it** in moderation.
Je n'ai rien contre le sport. Mais je n'en raffole pas.
I enjoy walking. J'aime la marche.
I quite like windsurfing.
J'aime beaucoup la planche à voile.
What I like best (of all) is rock-climbing.
Ce que j'aime plus que tout, c'est l'escalade.
I'm a great one for outdoor activities.
Je suis grand amateur d'activités de plein air.
I have a soft spot for cats and dogs.
J'ai un faible pour les chats et les chiens.
My brother is a motorbike **freak.** *(US)*
Mon frère est un fana de la moto.

What turns him on is speed.
Ce qui le branche, c'est la vitesse.
Motorbikes **are his scene/his thing.**
La moto c'est son truc.

He's crazy/mad about motorbikes.
C'est un dingue/cinglé de la moto.

He's big on motorcycles. *(US)*
He's gung ho on motorcycles. *(US)*
He's mad on motorbikes. *(GB)*
He's motorbike mad. *(GB)*
Son truc, c'est les motos.

He's just wild about that girl he met at the party.
Il est complètement fou de cette fille qu'il a rencontrée à la soirée.

He's taken a shine to her. Il en pince pour elle.

She's nuts over you. Elle est dingue de toi.
She's switched on! *(US)* T'as le ticket avec elle!

10

Forgiveness and understanding

(indulgence)

That is of no importance/no import.
Cela n'a pas d'importance.
Let bygones be bygones. Le passé est le passé.
Forgive and forget. Oublier c'est pardonner.

No hard/ill feelings. Je ne vous en veux pas.
It doesn't matter. Cela ne fait rien.
Forget it! Oubliez ça!

Drop it! Laisse tomber!

Let's wipe the slate clean. Je passe l'éponge.
No (real) harm done. Il n'y a pas de mal.
No offence taken. Je n'y ai vu aucun mal.
If I'd been in your shoes, I'd have done the same.
Si j'avais été à votre place, j'aurais fait la même chose.
I'm prepared to make allowances.
Je suis tout(e) prêt(e) à faire des concessions.
Nobody's perfect, you know. Nul n'est parfait, vous savez.
I think we'll turn a blind eye to Billy's behaviour.
Je crois que nous allons fermer les yeux sur la conduite de Billy.
Let's bury the hatchet. Enterrons la hache de guerre.
Let's kiss and make up. Embrassons-nous et faisons la paix.
Let's not worry/bother about that any longer.
Cessons de nous tourmenter à ce sujet.
That's all in the past now. Tout ça c'est du passé.

PROVERBS

Least said soonest mended!
Moins on en parle mieux on se porte!
That's water under the bridge now.
C'est de la vieille histoire tout ça.

11

Love

(amour)

They seem to be madly in love.
Ils ont l'air follement épris l'un de l'autre.
She seems to be head over heels in love with him.
Elle a l'air de l'aimer à la folie.
It was love at first sight. Ça été le coup de foudre.
I was attracted to you right from the start.
Vous m'avez plu au premier coup d'œil.
She's the apple of his eye.
Elle est ce qu'il a de plus précieux.
You swept me off my feet. Vous m'avez tourné la tête.
I love you. Je t'aime.
You're my world. Tu es tout pour moi.
I can't live without her. Je ne peux me passer d'elle.
She drives me wild/crazy. Elle me rend fou.
I just love that boy! J'adore ce garçon.
I (simply) adore him! Je suis folle de lui.
As soon as I saw her, I fell for her.
As soon as I saw her, I fancied her. *(GB)*
Dès que je l'ai vue, elle m'a tapé dans l'œil.
I've got her under my skin. *(re : song by Cole Porter)*
Je l'ai dans la peau.
You seem to have a crush on her.
Tu as l'air d'en pincer pour elle.
We're deeply involved with each other.
Nous deux, c'est du sérieux.
He has eyes only for her. Il n'a d'yeux que pour elle.
He's lost his heart. Son cœur n'est plus à prendre.

He's making a play for her. Il la drague.
He's on the make! Il est à l'affût des bonnes occasions.

They make goo-goo eyes at each other.
Ils se font des yeux de merlan frit.
It's only puppy love.
Mais ce ne sont que des amours enfantines.

PROVERBS

Love is blind. L'amour est aveugle.
Out of sight, out of mind. Loin des yeux, loin du cœur.
Love makes the world go round.
L'amour fait tourner le monde.
All's fair in love and war.
Tous les coups sont permis (en amour comme à la guerre).

PART THREE

The language of emotion: hostile feelings

1

Disbelief and derision

(incrédulité et dérision)

So, you had lunch at Buckingham Palace, did you?
Alors, comme ça, vous avez déjeuné à Buckingham Palace, voyez-vous ça!
Well, well, isn't that interesting/how interesting!
Voilà qui est intéressant./Comme c'est intéressant!
You're joking, of course.
You've got to be joking. — Vous plaisantez bien sûr?
You must be joking.
Well, I never! Ben voyons!/Ça par exemple!

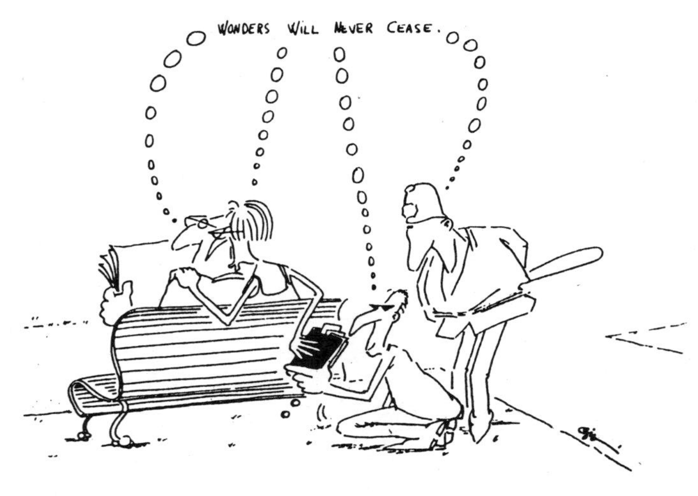

Wonders will never cease. On croit rêver.
You're pulling my leg. Vous vous payez ma tête.
Don't try to/and make a fool (out) of me.
N'essayez pas de jouer au plus fin avec moi/de me berner.
I wasn't born yesterday. Je ne suis pas né d'hier.
I'm not so green as I look.
Je ne suis pas si naïf que j'en ai l'air.
You don't expect me to swallow that, do you?
Tu ne crois pas que je vais gober tout ça?
He swallowed it hook, line and sinker. Il l'a gobé.
Who/What do you take me for? Tu me prends pour qui?
Your story just doesn't hold water.
Ton histoire ne tient pas debout.

That sounds like a cock and bull story!
Ça m'a l'air d'une histoire à dormir debout.
You can't pull the wool over my eyes.
Tu ne crois tout de même pas que tu vas me mener en bateau.

Pull the other one – it's got bells on. A d'autres.

That's a bit rich! *(GB)* **That's a bit thick!**	C'est un peu fort/gros!

That's coming it a bit thick!
Tu pousses le bouchon un peu loin.
You first in Maths? My eye/foot!
Toi, premier en Maths? Mon œil!
Huh! and I'm the Queen of Sheba!
C'est ça. Et moi je suis le Pape!

Are you kidding? **You're having me on!**	Tu te fiches de moi?

That's a good one (, that is)! Elle est bonne celle-là!
You're laying it on a bit thick! Tu pousses un peu trop!
Now you're laying it on with a trowel! Là, tu attiges!
Stop laying it on! Oh, ça va bien comme ça!
He gives me the runaround every time!
Il me fait marcher à tous les coups!
You're talking through a hole in your head!
Tu brasses de l'air!

He's lying through his teeth!
Il ment comme il respire!
Careful! He'll try to slip something over on you!
Fais gaffe! Il va essayer de te la faire.

Come off it! **Don't give me that!**	Arrête un peu!
That's a load of tripe! **What a load of balderdash!***(vieilli)*	Quel tas de balivernes!

That's a lot of/a load of rubbish!
Tout ça c'est du bidon/de la tchatch!
Poppycock!/Stuff and nonsense! *(vieilli) (GB)* Foutaises!

What twaddle! *(GB)* **You're full of hot air!**	Tout ça c'est du vent!
Don't try to palm that off on me! **Don't try to pull a fast one on me!**	N'essaie pas de me refiler ce genre de boniments!

Promises, promises! Tu causes, tu causes...
Go tell that to the marines! A d'autres!
What a snow job! *(US)*
Joli tour de passe-passe!
What a line of bull! Quel tas de conneries!

Balls! **Bollocks!** **That's a load of crap/bullshit!**	Des conneries tout ça!

2

Suspicion

(méfiance)

I've no confidence whatsoever in people like that.
Je n'ai aucune espèce de confiance en ce genre de gens.

I avoid them like the plague.
Je les fuis comme la peste.

I give them a wide berth.
Je les évite soigneusement.

Their promises are like pie-crust – meant to be broken. *(Hum.)*
Ils vous font des promesses, mais ce sont des promesses de Gascon.

Their remarks should be **taken with a pinch of salt.** What they said is to be **taken with the proverbial pinch of salt.**	Leur propos – il faut en prendre et en laisser.

Don't fall for her sweet talk.
Ne vous laissez pas prendre à ses beaux discours.

Don't be taken in by their tale of woe.
Ne vous laissez pas avoir au sentiment.

Don't take their words **at face value.**
Ne prenez pas ce qu'ils disent pour argent comptant.

He's a regular turncoat. C'est une vraie girouette.

I wouldn't trust him as far as I could throw him.
Je ne lui confierais pas ma bourse/ma grand'mère.

Careful! **She's a wolf in sheep's clothing!**
Ne vous fiez pas à elle ; c'est une sainte Nitouche.

Better **be on your guard.**
Mieux vaut rester sur vos gardes.

Be on the lookout. Méfiez-vous.

Keep your eyes open/eyes peeled for pickpockets.
Faites attention aux voleurs !

Give them an inch and they'll take a mile.
On leur donne le doigt et ils vous prennent le bras.

That character looks suspicious to me.
Cet individu me paraît suspect.

He's a shady-looking customer. Il a l'air d'un drôle de coco.

What a weird character! Quel drôle de type !

I wouldn't touch him with a ten-foot pole/with a barge pole!
Je me méfie de lui comme de la peste.

I wouldn't like to cross swords with him.
Celui-là, je ne m'y frotterais pas.

I wouldn't like to meet him (up an alley) on a dark night.
Je n'aimerais pas le rencontrer au coin d'un bois.
He's a rip-off artist. C'est un roi de l'arnaque.
What a weirdo! Drôle de loustic/zigoto!

I'm sure he's trying to confuse the issue. **I'm sure he's trying to pull the wool over our eyes.**	Je suis sûr qu'il essaie de noyer le poisson.

There's something not right about this.
Il y a quelque chose qui cloche dans cette affaire.
There's more to this than meets the eye.
Il ne faut pas se fier aux apparences.
All this looks (a bit) fishy to me.
Tout ça me paraît louche.
I smell a rat.
Dans cette affaire, il y a un os.
Someone's pulling a fast one (on us) there.
Tout ça, ça sent l'arnaque.
It's pretty obvious what they're up to/what their game is.
Je les vois venir avec leurs gros sabots.
I can smell big trouble. Je sens que les ennuis vont pleuvoir.
I've a hunch we'll end up carrying the can. *(GB)*
J'ai le pressentiment que ça va nous retomber sur le nez.
I can feel it in my bones.
Je le sens gros comme une montagne.
They're up to something.
Ils nous mijotent un sale coup.
I bet you anything we'll have them on our backs.
Je vous parie n'importe quoi qu'on va les avoir sur le dos.
I bet my bottom dollar they'll try and go for us. *(US)*
Ma tête à couper qu'ils nous attendent au virage.
Don't let them sucker you into their scheme. *(US)*
Ne vous laissez pas embarquer dans leurs combines.

PROVERBS

Once bitten twice shy. Chat échaudé craint l'eau froide.
Still waters run deep. Il n'est pire eau que l'eau qui dort.

3

Discontent and complaining

(mécontentement et réclamations)

I'm sorry, but the rooms **do not come up to standard.**
Je suis désolé mais les chambres laissent à désirer.
The service here is **a downright disgrace.**
Le service ici est un véritable scandale.
The service is **nothing short of appalling.**
Le service est absolument épouvantable.

This really is too much! Cela dépasse les bornes!

How is it that the sheets are dirty? **How come** the sheets are not clean?	Comment se fait-il que les draps soient sales?
I've never seen such a **hopeless/ pathetic** waitress before! I've never seen such a **spastic** waitress!	Je n'ai jamais vu une serveuse aussi minable!

It really is **beyond a joke** the way you treat your clients.
Votre façon de traiter les clients est inqualifiable/dépasse les bornes.

You've got a nerve/a damned cheek *(GB)* to treat your customers like that!
Vous avez du toupet/un sacré culot de traiter ainsi vos clients!

You couldn't care less, could you?
Vous vous foutez du monde, c'est évident.

I want my money back - here and now!
Vous allez me rendre mon argent et tout de suite!

I demand to be reimbursed.
J'exige qu'on me rembourse.

The food is **O.K./isn't all that bad but the service... forget it!**
La nourriture ça va, mais alors le service...!

Don't expect a tip from me! **Don't count on me to leave you a tip!** **Don't go looking for a tip from me!**	Ne vous attendez pas à un pourboire de ma part!

If you think I'm going to give you a tip, **(you can) think again!**
Si vous croyez que je vais vous laisser un pourboire, eh bien vous vous trompez!

You can whistle for your Christmas box!
Vous pouvez vous brosser pour vos étrennes!
I'll be damned if I ever set foot in this place **again!**
Je veux bien être pendu si je remets les pieds ici!

You don't expect me to eat this, **do you?**
Vous ne vous figurez pas que je vais manger ça?

This is a mess! **What a mess!**	Quel gâchis/gabegie/bazar!

What a shambles! Quel foutoir!
What a dump! Quel boui-boui!

This room is **worse than a pigsty!**
Cette pièce est pire qu'une porcherie!

This place is the pits! C'est endroit est un vrai foutoir!

What a cock-up/balls-up! *(GB)* Quel b...!

Your work is completely **botched.**
Votre travail est complètement bâclé/salopé.
That's a **messy/slapdash** *(GB)* **piece of work** if ever I saw one.
C'est un vrai travail de cochon.

I don't give a damn for **your half-baked excuses!**
Je n'ai rien à f... de tes excuses à la manque!
You're going to straighten things out before **I kick up one** hell of a row! *(GB)*
Vous allez m'arranger tout ça avant que je ne fasse un foin de tous les diables!
If you don't do something, **I'll make the feathers fly!**
Si vous ne faites pas quelque chose, ça va barder!
If you don't do something, **all hell is going to break loose!**
Si vous ne faites pas quelque chose, je vais f... une m... du diable!
If you don't do something, **I'll raise (one hell of) a big stink!**
Si vous ne faites pas quelque chose, je vais mettre les pieds dans le plat.
I'm going to **give them a piece of my mind!**
Je vais leur dire deux mots!

4

Indignation and disapproval

(indignation et désapprobation)

It's nothing short of a downright digrace to print lies like that.
Il est proprement scandaleux d'imprimer de pareils mensonges.
It's an absolute disgrace. C'est absolument scandaleux.
It's simply outrageous! C'est tout simplement inadmissible!
It's (absolutely) shocking! C'est choquant!
It's (absolutely) disgusting! C'est repoussant!
That (just) isn't done! Cela ne se fait pas!
I object to people using language like that.
Je m'insurge contre l'utilisation d'un tel langage.
It's appalling that experiments like that are carried out on dumb animals.
Penser que de telles expériences sont pratiquées sur des animaux sans défense, c'est effrayant.
Rules are made to be respected.
La loi est faite pour être respectée.
I am resolutely against such a course of political action.
Je suis résolument contre cette politique.
It's quite horrendous! C'est odieux!
It's unspeakable! C'est honteux!
It's abominable! C'est abominable!
It's scandalous! C'est scandaleux!

It's awful! C'est épouvantable!
It's atrocious! C'est atroce!
I refuse to put up with this noise any longer.
Je refuse de supporter ce bruit une minute de plus.
There is no reason/no call whatsoever for that noise.
Ce bruit est absolument injustifiable.
I can't put up with/stand/bear noisy people!
Je ne supporte pas les gens bruyants!
How dare they try and put this one over on us!
Comment osent-ils nous imposer ça?
What a mess! Quel gâchis!

It's not on! *(GB)* Ça ne va pas?/Bobo la tête?

It's not cricket! *(GB)* C'est pas juste.
It's nauseating! C'est écœurant!

☐ **It's enough to make you throw up/puke!**
C'est à vous faire vomir/dégueuler!

It'll turn your stomach. Ça vous lève le cœur.
That's mean! C'est mesquin/rat!
That's rotten/lousy! C'est dégueulasse/infect!
How petty of them!
Ça ne vole pas haut./C'est petit./C'est mesquin.
I'm fed up (with) working for peanuts!
J'en ai marre de travailler pour des prunes.
I find it rather too hard to swallow.
Je trouve ça dur à avaler.
You wouldn't do that, would you?
Tu n'irais tout de même pas faire ça!
Come now, you can't do that.
Allons, tu ne peux pas faire ça.

She's off her head. **She's off her rocker.** **She's out of her tiny mind.** **She's round the bend.** *(GB)* **She's nuts.** **She's as nutty as a fruit-cake.** **She's barmy.** *(GB)* **She's batty.** **She's bonkers.**	Elle est dingue/timbrée/cinglée./Elle a un grain./Ça ne va pas dans sa tête.
He's got a screw loose/a screw missing. **He's got one oar out of the water.**	Il a une case en moins.

He's not all there. Il perd les pédales.
He's missing sixpence in the shilling. *(GB)*
Il n'a pas toute sa tête.
He's wacko!/He's gone bananas! *(US)*
Il est complètement louf!
He's off the wall! Il débloque complètement!

5

Exasperation

(exaspération)

Your attitude has become unbearable.
Vous êtes devenu insupportable.
You've overstepped the limit/the mark.
Vous avez franchi le seuil du tolérable.
You've gone beyond the limit this time!
Vous avez dépassé les bornes cette fois!
You've gone a bit far on this occasion!
Là, vous êtes allé un peu trop loin!
I've had more than enough of your nonsense.
J'en ai plus qu'assez de vos sottises.
Who do you think you are to behave like that?
Pour qui vous prenez-vous pour vous comporter de la sorte?
Watch out - I'm (slowly) reaching boiling point.
Attention, je sens la moutarde me monter au nez.
If you go on like this, I'm going to lose my temper.
Si vous continuez ainsi, je sens que je vais perdre patience/me mettre en colère.

YOU'VE GONE A BIT TOO FAR ON THIS OCCASION.

I can't stand/put up with/bear/take your arrogance any longer.
Je ne supporte plus votre arrogance.
I've had my fill. Enough is enough.
J'ai fait le plein. Trop c'est trop.
I can't take much more of this.
Je sens que je suis à bout de patience.
I've had more than I can take.
C'est plus que ce que je peux supporter.
I've had more than enough of your lies.
J'en ai plus que marre de vos mensonges.
That's the limit! Il y a des limites!
That's the last straw! C'est la dernière goutte...!
That's where I draw the line! Là, il y a de l'abus!

I've had it (up to here)! J'en ai soupé!
I'm going to lose my rag! *(GB)*
Je vais me f... en boule!

She sets my teeth on edge! Elle me met les nerfs en pelote!
I'm fed up with her airs and graces.
J'en ai assez de ses grands airs.

He gets in my hair! Il m'agace!
I've had a bellyful of your stories.
J'en ai plus que marre de tes histoires.
I'm sick of her and her blessed kids.
J'en ai plein le dos d'elle et des ses sacrés moutards.
I'm sick (up) to the back teeth with all this carry-on. *(GB)*
J'en ai ras le bol de tout ce qui se passe ici.
I'm sick up to here with his silly nonsense.
J'en ai jusque là de toutes ses âneries.
For crying out loud! Pour l'amour du Ciel!

That's all we needed! Il ne nous manquait plus que ça!

It's slowly driving me up the wall/round the bend/mad/crazy!
Je sens que ça va me rendre complètement dingue!

That confounded music's getting on my nerves! **That blasted music's getting on my wick!**	Cette saleté de musique me tape sur le système!

That caps it all! Ça c'est le comble!
That takes the cake/biscuit! *(GB)* C'est le bouquet!

That really ticks me off! *(US)* **That really bugs me!** *(US)*	Ça me casse les pieds!

That really gets my goat! Ça me fait franchement suer!
That really puts me out! *(US)* Ça me fait bondir!

And they have the nerve/the neck *(GB)*/**the cheek** *(GB)* **to insult me into the bargain!**
Et ils ont le toupet de m'insulter par-dessus le marché!
What next, I ask myself.
Et puis quoi encore? Je me le demande.

6

Accusing and defending oneself

(accusations et auto-défense)

I don't want to be the one to cast the first stone, but...
Je ne veux pas être celui qui lance la première pierre, mais...
If you don't mind my saying so, you didn't have to slam on the brakes.
Permettez-moi de vous faire remarquer que vous n'aviez pas besoin de freiner si brutalement.

▪ **(Stuff and) nonsense! I didn't brake!** *(GB)*
C'est absurde! Je n'ai pas freiné!

Sorry, but what's more, you were right in the middle of the road.
Qui plus est, vous étiez en plein milieu de la route.

▪ **You've got to be joking! I was on the right side.**
Vous vous moquez de moi! J'étais du bon côté.

I'm afraid that this is all your fault.
Tout ceci est de votre faute.

▪ **That tops it all!** Ça c'est le comble!

You were in the wrong. Admit it.
Vous étiez dans votre tort. Avouez-le.

▪ **How dare you make accusations like that!**
Comment osez-vous porter des accusations de ce genre!

It was all your doing. You must agree.
Tout était de votre faute. Ne niez pas.

▪ **That's the limit! I admire your cheek!**
Ça c'est trop fort. J'admire votre toupet.

You're responsible. You shouldn't drive so quickly.
Vous êtes responsable. Vous ne devriez pas conduire si vite.

▪ **Hold on! You're not telling me how to drive a car, are you?**
Vous n'allez tout de même pas m'apprendre à conduire, non?

Let's face the facts. You're the cause of all this.
Regardons les choses en face. Vous êtes à l'origine de tout ceci.

▪ **That's rich! Are you off your rocker or what?** *(GB)*
Ça alors! Vous êtes cinglé ou quoi?

You should have kept your eyes on the road.
Vous n'auriez pas dû quitter la route des yeux.

▪ **Oh, should I? Well, mind your own business.**
Ah, vraiment? Occupez-vous donc de ce qui vous regarde.
A fine mess you've got us into.
Vous nous avez mis dans de beaux draps.

▪ **And you're right, I suppose?**
Et vous, vous avez raison, je suppose?

Absolutely! And I'd go so far as to say that you're dishonest/not honest!
Absolument! Et j'irais jusqu'à prétendre que vous êtes malhonnête!

▪ **Well, I never!** *(GB)* **That takes the biscuit!**
Ça alors! C'est le bouquet!
▪ **That's the pot calling the kettle black!**
Ça c'est l'Hôpital qui se fout de la Charité!
▪ **You're not going to pin the rap on me!**
▪ **You're not going to get me to carry the can!**
Tu ne vas pas me faire porter le chapeau!
A fine pickle she's got us into!
Elle nous a mis dans un beau pétrin!

▪ **Serves you right!** Bien fait pour vous!

She's a real trouble-maker. C'est une vraie enquiquineuse.

▪ **Don't go sticking your nose into other people's business! Leave her alone!**
Ne mets pas ton nez dans les affaires des autres! Laissez la donc tranquille!
That music of hers is getting on my nerves/wick.
Sa musique me tape sur le système.

▪ **Oh, who cares?** On s'en fout.
▪ **Go (and) get lost!** Allez vous faire voir ailleurs!
▪ **Oh, go jump in a lake!**
▪ **Go fly a kite!**
Va te faire voir/te faire f...!

PROVERB

People who live in glass houses shouldn't throw stones.
Quand on vit dans une maison de verre, on ne jette pas la pierre à son voisin. *(approx.)*

7

Threats

(menaces)

If I were you, I'd mind my Ps and Qs. (Ps = 'Pleases'; Qs = Thank yous) **If I were you, I'd watch what I was saying.**	Si j'étais à votre place, je surveillerais mes paroles.

You might have cause to (bitterly) regret what you're saying.
Vous pourriez regretter (amèrement) vos propos.
Anything you say will be taken down and may be used in evidence against you. *(GB, the official 'warning' given by a policeman making an arrest)*
Tout ce que vous direz pourra être retenu contre vous.

You'd be wise not to say anything.
Il serait avisé de votre part de vous taire.
This isn't the last you've heard of us!
Vous aurez bientôt de nos nouvelles!
You haven't seen the last/the back of us.
Vous ne tarderez pas à entendre parler de nous.
We'll be back! On en reparlera!
Don't push things/your luck too far.
Ne tentez pas le diable.
Watch out, or else... Faites attention, sinon...
You might regret it. Vous pourriez le regretter.
You'll be sorry some day.
Vous le regretterez un de ces jours.

You'd better go before I blow my top.
Vous feriez mieux de partir avant que je me mette en colère.
Clear out before it's too late.
Dégage avant qu'il ne soit trop tard.

I have half a mind to tell you a few home truths.
J'ai comme une envie de te dire tes quatre vérités.
I have a good mind to kick you out of the class.
J'ai une sacrée envie de te flanquer à la porte.
Just wait till I get my hands on you.
Attends un peu que je t'attrape.

You'll get it/catch it/cop it sooner or later.
Tu ne perds rien pour attendre.

Mark my words! Tu peux m'en croire!
This isn't/won't be the last of it.
Tu vas entendre parler du pays.

You're in for the high jump. *(GB)*
Ça va barder pour ton matricule!

You're in for it now. Ça va être ta fête.
There's a good hiding in store for you, my lad!
La raclée que tu vas prendre...
You won't forget this in a hurry!
Tu n'es pas près de l'oublier.
Watch your tongue, young lady!
Mesurez vos propos, jeune fille!
Watch it or else I'll give you a good thrashing/smacking/spanking.
Fais gaffe à ce que tu dis, sinon je vais te flanquer une bonne raclée.
Any more of your lip and I'll give you a damned good belting/hiding! *(GB)*
Encore un mot et je te flanque une de ces trempes!
I'll give him something to remember me by.
Ce que je lui réserve, il va s'en souvenir.

A kick in the pants/up the backside/up the arse *(GB)* **– that's what he's going to get!**
Un coup de pied au c... voilà ce qui l'attend!
Button your lip! La ferme!
Shut your mouth or I'll shut it for you!
Bouclez-la sinon je saurai bien vous faire taire!
Beat it or else I'll smash your face in/I'll punch you up the nose. *(US)*
Fous le camp, sinon je te casse la gueule!
I'll make minced meat out of you!
Je vais te réduire en bouillie!
Scram before I knock your teeth down your throat! *(US)*
Fous le camp avant que je t'abîme le portrait!
Clear out before I knock you into the middle of next week!
Tire-toi avant que je t'envoie aux pâquerettes!
Get lost or I'll let you have it!
Va au diable sinon je ne vais pas te louper!
I'll let you have it with both barrels!
Tu vas y avoir droit et pour de bon!

8

Challenge

(défi)

I wouldn't advise anyone here to try and pull a fast one.
Je ne conseille à personne ici d'essayer de jouer au plus fin.

Stand up for your principles **if you're man enough.**
On va bien voir si tu es un homme.

I'd like to see someone try and throw me out of the room!
Il ferait beau voir que quelqu'un ici me mette à la porte!
Who's got guts enough to take me up on that?
Qui est assez gonflé pour relever le défi?
Come here **if you dare!** Viens un peu si tu oses!
You want to make something of it?
Tu me cherches ou quoi?
Don't dare raise a finger to her or else!
Ne t'avise pas de lever la main sur elle, sinon...
I dare you to beat me!
Je vous mets au défi de me battre!
Talk back to the teacher? **You wouldn't dare!**
Répondre au prof? Tu n'oserais pas!
Tell them to leave us alone? **(I) dare you!**
Leur dire de nous ficher la paix? T'es pas cap!

Dare and double dare! Chiche que t'es pas cap!
I bet you chicken out! Je parie que tu te dégonfles!
I betcha! *(US)* Chiche!

What a paper tiger! I'm not afraid of his sword-rattling!
Il ne me fait pas peur avec ses rodomontades!
His bark is worse than his bite.
Il fait plus peur que de mal.
I'll call his bluff! Je demande à voir!
I'll show you a thing or two!
Je vais te montrer un ou deux trucs à ma façon!

Here's spit in your eye! Je te crache au visage!
So's your old man! Et ta sœur!

Stick it! **Bug off** *(US)* **Bugger off!** *(GB)* **Fuck off!**	Va te faire f...!

9

Abusing and berating

(insultes et dénigrement)

➡ STUPIDITY (bêtise)

She's not very sharp/bright/smart.
Elle n'est pas très fûtée/maligne.
She's not very quick on the uptake.
Elle n'est pas très rapide à la détente.
He's hardly what you'd call smart.
On ne peut pas dire qu'il brille par son intelligence.
She's got rocks/holes in her head.
Elle n'a rien sous le chignon.

He's soft in the head. **He's wooden-headed.**	Il a le cerveau ramolli.

He's a real dimwit! Quel crétin!
He's lame-brained! C'est un débile!
He doesn't know enough to come in out of the rain!
Il est vraiment simplet.
You aren't half stupid!
Qu'est-ce que tu es bête!

What an idiot! **What a twit/nit/prat/ wally/goat!** *(GB)* **What a fool/ninny/simpleton/ nincompoop** *(vieilli)***!**	Quel idiot!/Quelle andouille!/Quel imbécile!

What a clot/clod that girl is! Quelle empotée cette fille!

What a moron! **What a thick/thickie!** *(GB)*	Quelle cruche!/Quel âne!

Nobody home upstairs! C'est le grand vide là-haut!

He's as thick as two short planks. **He's as thick as shit in a bottle.**	Il est c... comme un balai.
He's as daft as a brush! *(GB)* **He's as nutty as a fruitcake!**	Il n'a pas inventé l'eau tiède!
What a dunce! **What an ass!** *(GB)* **What a nitwit!** **What a twirp!** **What a nerd!** *(US)*	Quel âne!/Quel c...!/Quelle c...!/Quel gland!

What a numbskull! Quel(le) abruti(e)!

What a spastic/a spas! *(GB)* Quel nœud!
What a dumb bunny! *(US)* / **What a dumb Dora!** *(US)* | Quelle cruche!

What an asshole! *(US)* / **What a tit!** *(GB)* | Quelle nouille!/Quel c...nard!

➡ HYPOCRISY (hypocrisie)

She's always putting on an act. Quelle cabotine!
He changes his mind with the weather. / **He changes his mind according to which way the wind is blowing.** | C'est une vraie girouette.
He changes his mind as often as he changes his shirt.
Il change d'avis comme de chemise.
He's a real glad hand! Quel faiseur de salamalecs!
What a turncoat! Quel faux-jeton!
He's a real/proper *(GB)***/right (old)** *(GB)***/regular hypocrite.**
Quel(le) hypocrite!

The two-faced bastard! Quel faux-derche!

You never know where you stand with him. / **I never know what end's up with him.** | On ne sait jamais sur quel pied danser avec lui.
I'm tired of his histrionics! Il me fatigue avec son cinéma!
Butter wouldn't melt in his mouth.
On lui donnerait le Bon Dieu sans confession.
He's a shifty character. Il est fuyant, ce type.
He's underhanded. Il fait ses coups en douce.
She looks as pure as (the) driven snow.
C'est une sainte Nitouche.
She just plays to the gallery.
Elle travaille pour la galerie.
She just goes through the motions.
Elle se contente de donner le change.
That was a left-handed compliment.
C'était un faux compliment.
You're just paying lip-service.
Bla bla bla! Tu causes, tu causes!

➡ INDOLENCE (paresse)

What a non-starter that boy is! *(GB)* Quel mollasson ce garçon!
That girl's so spineless! Quelle mollasse cette fille!
What a drip! Quelle chiffe molle!

What a (lazy) layabout!
Il est paresseux comme une couleuvre!
He's a lazy (little) beggar!
C'est un flemmard de première!
He really is (a) good-for-nothing. C'est un bon-à-rien.
She's bone idle. Elle a un sacré poil dans la main.
What a shirker! Quel tire-au-flanc!
He just fritters/whiles away his time.
Il passe son temps à ne rien faire.
All he does is hang around. Il passe son temps à glander.
He's a lazybones.
He's a lazy bum/a goof-off. *(US)* | Quel fainéant!
She just twiddles her thumbs all day.
Elle se tourne les pouces à longueur de journée.
He's a lounge lizard. *(vieilli)* Il passe son temps à lézarder.

He just sits around like a bum on a log.
Il passe son temps assis sur son derrière.

➡ BAD MANNERS (mauvaise éducation)

You were anything but a gentleman/lady.
On ne peut pas dire que vous vous soyez conduit(e) en gentleman/dame du monde.
How rude of you! Grossier personnage!

Don't you know what good manners are?
On ne vous a jamais appris les bonnes manières?
You and your barrack-room jokes!
Avec vos plaisanteries de corps de garde!
His jokes are strictly for the locker-room.
Ses plaisanteries ne sont pas pour toutes les oreilles.
He swears like a trooper. Il jure comme un charretier.
He has the mouth of a sailor! Il est mal embouché.
He's always walking around like a bear with a sore head.
C'est un ours mal léché.
What a show-off! Quel cuistre!
What a boor!
What a lout! | Quel mufle!
They've got a nerve! Ils ont du toupet!
She's got a damned cheek, that one!
Elle a un culot monstre, celle-là!
She takes any amount of liberties. Elle se croit tout permis.
She doesn't know how to behave properly/in public.
Elle ne sait pas se conduire dans le monde.
He eats like a pig. Il mange comme un cochon.
They don't even know the meaning of the word "polite".
Ils vont jusqu'à ignorer ce qu'est la politesse.
He was brought up in a barn.
On se demande où il a été élevé.

He's a bit of a rough diamond really.
Il est mal dégrossi, vraiment.
He always uses the wrong fork!
Il met toujours les pieds dans le plat!

➡ CONCEIT (fatuité)

He thinks he's God's gift to women. | Il se croit irrésistible.
He thinks he's the best thing since sliced bread. | Il se croit sorti de la cuisse de Jupiter.
He thinks he's the bee's knees.
He thinks he's a real big shot. | Il ne se prend pas pour rien.
He has a big head.
He certainly is big-headed. | Il a (attrapé) la grosse tête.
He's a know-it-all/know-all.
C'est Monsieur-je-sais-tout.
He's always bragging/boasting! Quel vantard!
He's got an inflated ego.
He's full of himself. | Il est imbu de lui-même.
He's on an ego trip. Il fait du narcissisme aigu.
He's got just a bit too big for his boots *(GB)***/breeches.**
Il ne se sent plus!
He deserves to be taken down a peg or two.
Il mérite qu'on lui rabatte un peu le caquet.
What a family of snobs!
Quelle famille de snobs!
They're no small fry, or so they think.
Il ne se prennent pas pour rien/pour du menu fretin.
They're so vain/conceited.
Ils sont d'une prétention./Quels m'as-tu-vu!
What a show-off! Quel pédant/cuistre/vantard!
What a swank! *(GB)* Quel frimeur!
What a prig! *(GB)* Quel prétentieux!
She's stuck-up.
Elle ne se prend pas pour son logarithme/pour rien.
She let promotion go to her head.
Sa promotion lui est montée à la tête.
She suffers from delusions of grandeur.
Elle a la folie des grandeurs.
Who does she think she is with her airs and graces?
Pour qui se prend-elle avec ses grands airs?
She thinks she's no small beer. *(GB)*
Elle ne se prend pas pour de la petite bière.
I don't like her holier-than-thou attitude.
Je n'aime pas ses airs de pimbêche.

What a stuck-up little bitch!
Quelle pimbêche/bêcheuse!
She thinks the sun shines out of her arse. *(GB)* Elle prend son c.../nombril pour le centre du monde.

➡ BAD TEMPER AND BAD MOOD
(mauvais caractère et mauvaise humeur)

What a **grumpy** fellow he is! Quel sale caractère!
He's always **bad-tempered/in a bad mood.**
Il est toujours de mauvaise humeur.
He must have **got out of the wrong side of the bed today.**
Il a dû se lever du pied gauche ce matin.
He's an awkward customer.
C'est un mauvais coucheur.
He's like a bear with a sore head.
Il est d'une humeur massacrante.
I wonder what's bitten him? *(GB)*
Je me demande quelle mouche l'a piqué.
He's so crabby! C'est un ours!
He's always grumbling/groaning/griping/bellyaching about something.
Il n'arrête pas de rouspéter/geindre/râler/ronchonner.

Old sourpuss! Quel(le) pisse-vinaigre!
Miseryguts! Quelle tête de constipé(e)!

He's in a foul mood. What's got into him?
Il est d'une humeur de chien. Qu'est-ce qui lui prend?
He has a low boiling-point.
Il est très soupe-au-lait.
He can't take a joke.
Il ne suppporte pas la plaisanterie.
Her feathers are ruffled. Elle est vexée.
She's so **quick-tempered!**
Ce qu'elle peut être soupe-au-lait!
The smallest thing puts **her nose out of joint.**
La moindre chose la met en rogne.
Look! **She has her nose in a sling.**
Elle a l'air furibonde!

➡ SPITE AND CALLOUSNESS (méchanceté)

She's always **on the warpath.**
Elle est toujours sur le sentier de la guerre.
She's bad blood. Elle est foncièrement méchante.
She's sour grapes. C'est une aigrie.
She's a poison-pen.
She's got a sharp tongue. | C'est une langue de vipère.
He'll stab you in the back.
Toujours prêt à vous tirer dans le dos.
He'll sell you down the river. Il vendrait sa sœur.

He's a double-crosser/a two-timer *(US).*
C'est un faux jeton.
He'll rat on you/fink on you. *(US)*
C'est le genre à vous jouer un sale tour/vous balancer/vous plaquer.

He's a nasty piece of work. C'est pas un cadeau.
The mean rotter! *(GB) (vieilli)* Quelle ordure!
He has a heart of stone. Il a un cœur de pierre.
He's got a chip on his shoulder.
Il en veut au monde entier.
He always **throws sand/a spanner in the works.**
Toujours prêt à vous mettre des bâtons dans les roues.
She's a spiteful little brat. C'est une sale gamine.
How catty! *(GB)* Qu'est-ce qu'elle est teigneuse!

What a pig/swine! Il est dég...!/Quel porc!
The little stinker/rat! La petite garce!/Le petit salaud!
The little minx/hussy! La petite garce!

She's a real **back-biter.** C'est une vraie teigne.
She's a real **shrew.** C'est une vraie mégère.

She's a real **bitch.** C'est une garce.
He's a real **bastard/a creep.** C'est un vrai salaud.
The old bat/hag/bag! Vieille peau!/Vieille sorcière!

The bitch/sow *(GB)***!** La garce!/La salope!
The old cow! Quelle peau de vache!
Bastard! Salaud!/Fumier!
S.O.B! *(US) (= son of a bitch)* Fils-de-p...!

➡ DISHONESTY (malhonnêteté)

All this is **not above board.**
Tout ceci n'est pas très régulier.

It's rotten to the core. C'est pourri jusqu'à la moelle.
The whole business **stinks (to high heaven).**
Toute cette affaire pue à 10 lieues à la ronde.

It sounds like monkey-business to me.
Tout ça m'a l'air d'une belle arnaque.
It sounds like highway robbery to me!
Tout ça m'a l'air d'une escroquerie de première!
It sounds to me like a fish story.
It sounds fishy to me. | Tout ça m'a l'air d'une histoire louche.
He's as slippery as en eel. Il est fuyant comme une anguille.
He's as low as a snake in the grass.
C'est un spécialiste des coups bas.
He's as sticky-fingered as they come.
Il a les doigts crochus comme c'est pas possible.
He has his hands in the till.
Il est toujours prêt à faire du fric.
He does everything under the counter.
Il fait toujours ses coups en douce.
He wheels and deals.
He's a wheeler-dealer. | C'est un magouilleur.
I wouldn't trust him as far as I could throw him (and that's not far).
Je ne confierais pas ma grand'mère à celui-là.
She's a nasty piece of work, that one!
Celle-là, c'est pas un cadeau!
They're pretty shady customers.
Ce sont de drôles de cocos.
Give them an inch and they'll take a mile.
On leur donne le doigt et ils vous prennent le bras.
They're all bent, believe me. Ils sont tous véreux, croyez-moi.
What a liar! Quel menteur!/Quelle menteuse!

The lying bastard! Sale menteur!

He's lying through his teeth! Il ment comme il respire!
He couldn't tell the truth to save himself/his life.
Il a le mensonge dans la peau.
He doesn't know what the meaning of truth is.
Il ignore jusqu'au mot de "vérité".
You cheat! Tricheur!/Tricheuse!
You thief! Voleur!/Voleuse!
You crook!
You swindler! | Espèce d'escroc!

You louts/yobs/yobboes! *(GB)*
Bande de vandales/propres-à-rien!

The little bitch! La petite garce!
The tart!
The little slut! | Une vraie p... !/Une Marie-couche-toi-là!
The bag! *(GB)* La traînée!
The trollop! *(vieilli)* Quelle catin!

PROVERB

Ill-gotten goods seldom prosper.
Bien mal acquis ne profite jamais.

AVARICE (avarice)

Every penny's a prisoner with her. *(GB)*
Elle les lâche avec un lance-pierres.

He's a real **Scrooge!** *(character from 'A Christmas Carol' by Charles Dickens)* C'est un véritable Harpagon!
She's so tight-fisted/mean!
Qu'est-ce qu'elle est pingre/radine!
She hangs on to her money/ to every penny that comes her way.
Elle ne les lâche pas facilement.
She's got an itchy palm. Elle a les doigts crochus.
Getting money out of him is **like trying to squeeze blood out of a turnip/get blood out of a stone/get water out of a stone.**
Essayer de lui soutirer de l'argent revient à essayer de tondre un œuf.
What a skinflint/miser/penny-pincher!
Quel radin/grigou/avare/grippe-sou!

These guys are always **on the take** *(US)*/**make.**
Ces gars sont toujours prêts à faire du fric.

WASTE (gaspillage)

My wife is **a spendthrift.** Ma femme est dépensière.
She spends money like water. C'est un vrai panier percé.
Money burns a hole in her pocket.
L'argent lui brûle les doigts.
Money just slips through her fingers.
L'argent lui file entre les mains.
She spends as if money were going out of style.
Elle dépense l'argent comme s'il en pleuvait.
They think money grows on trees.
Ils croient que l'argent tombe du ciel.
Their money is going down the drain/down the tubes *(US)*!
Ils jettent l'argent par les fenêtres.

PROVERBS

Waste not, want not.
Ne pas gaspiller c'est être à l'abri du besoin.
A penny saved is a penny earned.
Un sou économisé est un sou gagné.
(To be) penny-wise and pound-foolish.
On ne compense pas les excès de prodigalité avec des économies de bouts de chandelle.
Look after the pennies and the pounds will look after themselves. Il n'y a pas de petites économies.
A fool and his money are soon parted.
Un naïf et son argent ne restent pas longtemps ensemble.

➡ STUBBORNNESS (obstination)

We'll never be able to make her change her position.
On n'arrivera pas à la faire changer d'avis.
You can hold your breath but he'll never give in.
Tu peux toujours courir; il ne cédera pas.
Nothing doing! They're too stubborn!
Rien à faire! Ils sont trop butés.
He's as stubborn as a mule!
Il est têtu comme une mule.
Talk about someone being headstrong/pig-headed!
Vous parlez d'un obstiné/d'une tête de pioche!
They won't budge an inch.
Ils ne veulent pas en démordre.
They won't change until the last gun is fired.
Ils n'en démordront pas jusqu'à ce que mort s'ensuive.
There's no give or take with them.
Pas moyen de discuter avec eux.
When she's got a bee in her bonnet...
Quand elle a quelque chose dans la tête celle-là...
She's always right.
Elle a toujours raison.
She must (always) have the last word.
Il faut toujours qu'elle ait le dernier mot.

PROVERB

You can lead a horse to water but you cannot make it/him drink.
On ne fait pas boire un âne qui n'a pas soif.

➡ COWARDICE (lâcheté)

You're not exactly courageous/brave, are you?
Ce n'est pas le courage qui vous étouffe.
She wouldn't say boo to a ghost.
Un rien l'effraie.
She's afraid of her own shadow.
Elle a peur de son ombre.
He's the first to show the white feather/to beat a retreat.
Il est le premier à se dégonfler/à battre en retraite.
He always chickens out at the last moment.
Il se dégonfle toujours à la dernière minute.
He's scared to death.
Il a une peur bleue.

He's got the jitters. Il a les jetons.
He's got the wind up. Il a la trouille.
He's so chicken-livered *(US)*/**lily-livered/yellow-bellied** *(US)*.
Quel trouillard!

Coward! Lâche!/Couard!

Chicken! Poltron!
Cowardy custard ! *(GB, children)* Poule mouillée!
Yellow belly! *(US)* Dégonflé(e)!

I was shit scared. **I was scared shitless.**	J'avais une trouille à ch... partout.

➡ BAD DRIVING (mauvaise conduite en voiture)

She can't drive to save herself/to save her life.
C'est tout juste si elle sait où se trouve le volant.
Those women drivers! Ah! Les femmes au volant!
He must think he owns the road.
Ma parole, il croit que la route lui appartient.
You're a public danger/menace!
Vous êtes un danger public!

(You) Sunday driver! Chauffeur du dimanche!
Road hog! Chauffard!

➡ DRUNKENNESS (alcoolisme, ébriété)

Everyone got a bit tipsy.
Tout le monde était pompette.
My wife was a bit merry too.
Ma femme était un peu gaie elle aussi.
They were all tiddly, if you ask me. On était tous un peu paf.
He's had one too many.
Il a bu un petit coup de trop.

He was half-seas over/half-cut. *(GB)*
Il était un peu parti.
He's drunk himself under the table.
Il s'est saoulé à en rouler sous la table.
She could drink you under the table.
Elle tient mieux l'alcool que vous.
He drinks like a fish. Il boit comme un trou.
He was as drunk as a lord.
Il était saoul comme un Polonais.
He was dead drunk. Il était complètement noir.
He'd had a skinful. Il en tenait une bonne!
He's got hollow legs. C'est une véritable éponge.

He's fallen off the wagon again. *(Note : to be on the wagon = to have given up alcohol)* **He's hit the sauce again.** *(US)*	Il s'est remis à picoler.

You're drunk! Vous êtes ivre!
You're drunk and incapable!
Vous êtes complètement saoul(e)!
What a drunkard! Quel ivrogne!

What a boozer! Quel poivrot!
What an alky ! *(US)* Quel alcolo!
They were pickled *(GB)***/sloshed** *(GB)***/canned** *(GB)***/blotto** *(GB)***/paralytic** *(GB)***/legless** *(GB)***/cocked** *(US)***/corked** *(US)***/feeling no pain** *(US)***/fried to the gills/soused to the gills/stewed to the gills/high as a kite/loaded** *(US)***/plastered.**
Ils étaient complètement givrés/ronds comme des queues de pelle/beurrés comme des Petits Lu/etc...

They were peed *(GB)***/pissed.**
Ils étaient bourrés comme des coings.
He was as pissed as a newt. *(GB)*
Qu'est-ce qu'il tenait comme cuite!
He was pissed out of his mind. *(GB)*
Il tenait une de ces bitures!
He was piss-drunk. *(GB)*
Il était cuité à mort.

➔ NUISANCES (importuns)

What a bore he is with his cock and bull stories!
Quel raseur avec ses histoires à dormir debout!
Blast! *(GB)* **Here's the old bore again.**
Zut! Revoilà le casse-pieds!
They wear my patience thin.
Ils m'usent/me fatiguent.

I wish they'd give us a break.
S'ils pouvaient nous oublier cinq minutes.

If only they'd clear off/clear out/buzz off *(GB).*
Si seulement ils pouvaient f... le camp.
I wish they'd get off our backs!
S'ils pouvaient nous lâcher les baskets!
They get on my nerves/on my wick. *(GB)*
Ils me tapent sur le système.

Oh bother! Here she comes again!
Oh la barbe! C'est encore elle!
Oh no! Here comes trouble again!
Revoilà l'enquiquineur/l'enquiquineuse!
You just can't shake her off.
On ne peut s'en débarrasser comme ça.
You can't give her the slip.
Pas moyen de lui fausser compagnie.
She's such a nosey parker. *(GB)* Quelle fouineuse celle-là!
She's always sticking her nose into other people's business.
Elle est toujours en train de fourrer son nez dans les affaires des autres.
She's such a busybody. Une vraie mouche du coche.

She's a real fly in the ointment.
C'est vraiment une empêcheuse de tourner en rond.
That guy's a thorn in my flesh.
Ce type est une vraie plaie/une calamité.
He's my pet peeve. Ce gars, c'est ma bête noire.
What a bind! *(GB)* Quelle scie!/Quel pot de colle!
What a damned nuisance he is!
Quel empoisonneur ce type!

What a pain in the neck!
What a pain in the ass *(US)*/**in the arse** *(GB)*/**in the rear end.**
Quel plaie/Quel emmerdeur!/Quelle emmerdeuse!

➡ TALKATIVENESS (bavard)

What a chatterbox! Quel moulin à paroles!
She really has the gift of the gab!
Elle sait vendre sa salade!
She talks thirteen to the dozen. *(GB)*
Elle est bavarde comme une pie.
Her tongue is always wagging.
Elle a la langue bien pendue.
Her tongue never stops.
She never stops yakking. *(GB)*
Elle n'arrête pas.
She could talk the hind legs off a donkey.
Elle est saoulante.
Nobody likes to chew the fat as much as she does.
Comme moulin à paroles elle n'a pas sa pareille.

What a gossip! Quelle commère!
She can't keep anything to herself.
Elle ne peut rien garder pour elle.
He gave me the usual patter.
Il m'a sorti son baratin habituel.

He talks my ear off. *(US)* Il me saoule.
I thought he'd talk himself blue in the face.
J'ai cru qu'il allait parler jusqu'à en perdre la voix.

They really run off at the mouth. **They've got verbal diarrhœa.**	C'est vraiment de l'incontinence verbale chez eux.

They shoot the breeze for hours. *(US)*
Ils parlent dans le vide pendant des heures.
Turn it down, will you?
Mets-la en sourdine, tu veux bien?
Put a sock in it ! *(GB)* Mets-la en veilleuse!
Give it a rest! Tu nous fatigues!
Give us a break! Lâche-nous cinq minutes!

PROVERB

Silence is golden. Le silence est d'or.
Empty vessels make most noise.
Ceux qui font beaucoup de vent ne sont pas les plus efficaces.
Sticks and stones may break my bones but words will never hurt me. Les mots ne tuent pas.

➡ RIDICULE (ridicule)

What a twit! Quelle nouille!
Poor dummy! Pauvre cloche!

She's rather slow on the uptake. *(GB)*
Ce n'est pas une rapide, celle-là.

He looks a right Charlie/a proper Charlie. *(GB)*
Il a l'air fin!/malin!
Poor dope! Doesn't he look daft!
Pauvre imbécile! Il a l'air malin.
You look a right idiot/a proper idiot!
Tu as l'air d'un(e) imbécile!

He really takes the booby prize.
C'est vraiment le roi des imbéciles.

What a redneck! Quel lourdaud!
What a clod! Quel plouc!

You're as subtle as a brick!
Tu ne fais pas dans la dentelle.
She's so ticky-tacky/so two-bit/so small time! *(US)*
Quelle dégaine elle a!/Quelle minable!
People like them are **a dime a dozen.** *(US)*
Les gens comme ça on en trouve 13 à la douzaine.
How dime-store! *(US)* C'est du tout-venant!

You don't have much taste, do you?
Ce n'est pas le bon goût qui t'étouffe, dis-moi.

What a country bumpkin/boor/yokel/clodhopper/hick *(US)*!
Quel péquenot/pedzouille/plouc!

He's like the proverbial **bull in the china shop.**
C'est l'éléphant dans le magasin de porcelaine.
Now you've gone and put your foot in it!
Ça y est! Tu les as mis les pieds dans le plat!
You've got a real knack for **putting your foot in it!**
C'est un don chez toi de faire des gaffes./Tu es le roi de la gaffe.
He has two left feet.
Il est dégourdi comme un manche à balai.
He falls over himself.
Ce n'est vraiment pas un débrouillard.
I've never seen anyone **so ham-fisted.**
Je n'ai jamais vu un pareil empoté.
He's all thumbs.
Il ne sait rien faire de ses dix doigts.
You can't sing **to save yourself/to save your life!**
Tu chantes comme une casserole!
The way you dance, you'd think you'd got two left feet!
Tu danses comme un fer à repasser.
She looks like **a fish out of water.**
On dirait une poule qui a trouvé un couteau.
She swims like a rock. Elle nage comme une brique.
He eats like a pig. Il mange comme un cochon.
He's as blind as a bat. Il est myope comme une taupe.
He's as deaf as a post *(GB)*/**doorpost** *(GB)*/**doorknob** *(US)*.
Il est sourd comme un pot.
She's as stiff as a board.
Elle est raide comme un piquet.
She looks as if she's fallen out of bed.
Elle est toute ébouriffée comme si elle sortait du lit.

She looks as if she's been dragged through a hedge backwards.
Elle a l'air de quelqu'un qui s'est coiffé avec un pétard.
She's in a worse state than China!
Dans quel état elle est! Quelle allure!

She isn't half dowdy!
Qu'est-ce qu'elle est mal fagotée!
She always sticks out like a sore thumb.
Elle est fringuée comme l'As de Pique.

She struck me as coming from the wrong side of the tracks.
Elle n'avait pas l'air d'être à sa place.
She's dressed like a scarecrow.
Elle a l'air d'un épouvantail à moineaux.

Mutton dressed as lamb, if you ask me.
C'est une vieille cocotte.

He's got that unkempt/shaggy look.
Il a le poil hirsute./Il s'est coiffé avec un clou.
Have you looked at yourself (in the mirror) lately?
Tu t'es regardé(e) dans une glace?
You (do) look a sight! L'allure que tu as, c'est pas triste.

It's enough to make a cat laugh. Y'a de quoi se marrer.
I'm going to crack up! Y'a de quoi rigoler!

She's a plain Jane. C'est un vrai boudin/une mocheté.
She's no oil painting. C'est pas une beauté.

He's as homely as a hedge-fence. *(US)*
Côté physique, il n'est pas gâté.
She's nothing to write home about.
She's no great shakes. — Elle ne casse rien.

She's got bags under her eyes.
Elle a des valises sous les yeux.
She's as ugly as sin.
Elle est laide comme les 7 péchés capitaux/comme un pou.

She's got a face like the back of a bus/like a torn-out grate. Ce qu'elle peut être moche!
She has a face that only a mother could love/that would stop a clock. Elle a une tête à faire peur.

She's a real fright! Elle est laide à faire peur.

What an old hag/witch!
Quelle fée Carabosse/vieille sorcière!

She's a bit broad in the beam/as broad as a barn.
Elle a une des ces croupes...
He's as fat as a pig.
Il est gras comme un cochon/goret.
He's built like a battleship.
On dirait une armoire normande.

She's as flat as a pancake.
Elle est plate comme une limande.

What a beanpole!
Quel échalas!/Quel grand flandrin!/Quelle grande sauterelle!
He's knee-high to a grasshopper. *(US)*
Il est haut comme trois pommes.
He must weigh all of 50 pounds!
Il doit peser dans les 25 kilos tout mouillé.
He's got piggy eyes. *(GB)*
Il a des petits yeux porcins.

What a conk/hooter! *(GB)* Quel pif!/Quel tarin!
He's as bald as a coot.
Il a un crâne comme une boule de billard.
You little pipsqueak/runt! Rase-mottes!/Avorton!
Skinny! Sac d'os!
Fatty! Gras-double!
Fatso! Gros patapouf!/Bouboule!

10

Swear words

(jurons)

Blimey! *(GB)*/**Gosh!/Gosh all mighty** *(US)*! **You are a nuisance!**
Zut alors! Tu es insupportable!
Crikey! You do have a lot of luggage with you! *(vieilli) (GB)*
Fichtre, vous en avez des bagages!
Blast! I've forgotten to put any money in the meter! *(GB)*
Nom d'une pipe! J'ai oublié de mettre de l'argent dans le parcmètre!
Dash (it) *(vieilli) (GB)*!/**Darn (it)!** *(US)*! **Here comes the traffic warden.**
Flûte! Voilà la contractuelle!
Drat! I haven't got any change on me. *(vieilli) (GB)*
Mince alors! Je n'ai pas de monnaie.
Dog-gone it! *(US)* Nom d'un chien!

For Heaven's sake! Won't you be quiet?
Pour l'amour du Ciel, veux-tu te tenir tranquille?
Heavens above/Good Lord/Good God! It's my mother-in-law!
Dieu du Ciel! Ma belle-mère!
Where the devil have you been? Ou diable étiez-vous passé?
Damn your questions! La barbe avec tes questions!
Damn it!/ Dammit! Bon sang!/Bon Dieu!
(Oh) hell!/Hell and damnation! Nom de Dieu!
Jesus!/Jesus wept!/Geez!/(Oh) Christ! Oh, mon Dieu!

(Oh) shit!/(Oh) fuck! M...!
Bugger it! *(GB)*/**Fuck it!/Screw it!/Fucking hell!**
B... de m...!

11

Resentment

(rancune)

I won't forget this in a hurry.
Je ne suis pas près d'oublier ça.
I'm not likely to forget what you said.
Ne comptez pas sur moi pour oublier ce que vous avez dit.
I'll pay you back one of these days.
Je vous revaudrai ça un de ces jours.
You won't get away with it, you know.
Vous ne l'emporterez pas au paradis, vous savez.

I'll pay you back in your own coin.
Je vous rendrai la monnaie de la pièce.

Time won't save you. Vous ne perdez rien pour attendre.
Memory goes a long way. Je n'oublie pas de si tôt.
We'll see what we shall/'ll see. On verra ce qu'on verra.
Time will tell. Le temps sera seul juge.
We've got old scores to settle.
On a un petit compte à régler nous deux.
I don't know why she bears a grudge (against us) like that.
Je ne sais pas pourquoi elle nous en veut ainsi.
She has (got) it in for us. Elle n'a pas digéré le coup.
She's got a chip on her shoulder.
Elle en veut au monde entier.
She's got an axe to grind. Elle ronge son os.
What you did to me still sticks in my throat.
Ce que tu m'as fait m'est resté en travers de la gorge.
I've got a bone to pick with you.
J'ai une dent contre toi./Ça tu me le paieras.
I'll get my own back, don't you worry.
Vous me rendrez des comptes, je vous le promets.

Just you wait (till the chickens come home to roost *(US)*)!
Attends un peu! Je te garde un chien de ma chienne!
Serves you right! C'est bien fait pour toi!
You asked for it! Tu ne l'as pas volé!
You had it coming! Tu l'as bien cherché!

From now on, there's a price on his head.
A partir de maintenant, ses jours sont comptés.
He'll have the devil to pay for this.
Il va payer ça cher.
I'll get even with him sooner or later. Je vais lui régler son compte tôt ou tard.

I'll give him a taste of his own medicine!
Il va savoir par où il a pêché!
He's going to smart for it.
Il va le regretter.

I'm going to fix his wagon! *(US)*
Je ne vais pas le rater!
I'll ham his hide for this! *(US)*
Je vais lui tanner le cuir pour la peine!
He'll get his lumps! *(US)* Il va s'en ressentir!

PROVERBS

He who laughs last laughs longest.
Rira bien qui rira le dernier.
An eye for an eye, a tooth for a tooth.
Œil pour œil, dent pour dent./La loi du talion.
An elephant never forgets.
Rappelle-toi le coup de la mule du Pape!

12

Cooling down

(apaisement)

There, there. Tout doux.
There now./Now, now. Allons, allons.
Keep calm./Keep cool. Calmez-vous!/Du calme!
Calm down a bit! Calme-toi un peu!
Quieten down, class, please!
Oh là! On se calme là-dedans!
Settle down!/Simmer down! Calmez-vous!
Pull yourself together! Reprends-toi!/Remettez-vous!
No need to get het up about things.
Pas la peine de s'affoler.
Don't jump off/in at the deep end!
Pas de panique!

Don't fly off the handle!
Ne vous laissez pas emporter!
Keep your hair on!
Gardez votre sang froid!/Ne vous fâchez pas!
Don't get your knickers in a twist! *(GB, Hum.)*
Ne perds pas les pédales!
Hold on there!
Hold your horses! *(US)* | Ne t'emballe pas comme ça!
Cool it!/Cool off! *(US)* Ne t'énerve pas!
Play it cool! *(US)* Prends ça décontracté!

PART FOUR

States of mind and emotions

1

Fitness

(la forme)

You do look well today!
You really look yourself to-day! Vous avez vraiment l'air en forme aujourd'hui!
You look as fit as a fiddle! Vous avez l'air en pleine forme!
You're the picture of health. Vous respirez la santé.
I'm in top form.
I'm in great shape.
I feel on top of the world/like a million dollars. Je tiens une forme de champion.
He's bursting with energy.
He's brimming over with energy. Il déborde d'énergie.
He seems ready to take on the world!
Il a l'air prêt à manger du lion.
She's in the pink. Elle voit la vie en rose.

You all look bright-eyed and bushy-tailed this morning.
Vous avez tous l'œil et le poil luisants/l'œil vif et le poil dru.
He's full of beans! *(GB)*
Il pète le feu./Il a une sacrée pêche!

PROVERB

Early to bed, early to rise, makes a man healthy, wealthy and wise. *(approximate translation)*
Le monde appartient aux gens qui se lèvent tôt.

Hope
(espoir)

I trust they got back home safely after the party.
J'espère qu'ils sont bien rentrés après la réception.
I feel hopeful that things will work out in the end.
Je suis persuadé(e) que les choses finiront par s'arranger.
I can't but hope for better days!
Je ne me lasse pas d'espérer en des jours meilleurs.
I sincerely hope you'll feel better very soon.
J'espère sincèrement que vous irez mieux très vite.
I do hope you'll make it on Saturday.
Je compte sur vous pour samedi.
Here's hoping we'll meet again soon.
Il est permis d'espérer que nous nous rencontrerons bientôt à nouveau.

I hope you'll manage to come.
J'espère que vous parviendrez à vous libérer pour venir.
We've pinned all our hopes on our children.
Nous avons fondé tous nos espoirs sur nos enfants.
I'm pretty confident that it will turn out well for us.
J'ai confiance en l'avenir.
Things are bound to turn out fine in the end.
Les choses vont nécessairement finir par s'arranger.
I always look on the bright side of things.
Je regarde toujours le bon côté des choses.
I'll be able to come to the party, **knock on wood.**
Touchons du bois pour que je puisse venir à ta soirée.
I'll keep my fingers crossed for you.
Je vais prier pour que tu réussisses.
You surely **stand a chance of winning.**
Tu as une chance de gagner, c'est sûr.
I can see the light at the end of the tunnel.
Je vois enfin le bout du tunnel.
There's still a ray of hope left.
Il reste une lueur d'espoir.

PROVERBS

Hope springs eternal.
Tant qu'il y a de la vie il y a de l'espoir.
Every cloud has a silver lining.
A quelque chose malheur est bon.
Great hopes from little acorns grow.
Les petits ruisseaux font les grandes rivières.

3

Joy
(joie)

I was overcome with joy when I heard the good news.
J'ai été transportée de joie en apprenant la bonne nouvelle.

I'm so happy that you'll be here again soon.
Je suis si heureux à la pensée de votre prochain retour.
I've been **walking in a dream** for a week now.
Je vis dans un rêve depuis une semaine.
It's just like walking in a dream.
Je vis en plein rêve.
This is Heaven on earth!
C'est le Paradis sur terre.
My parents are **simply/positively delighted!**
Mes parents sont tout simplement ravis.

I'm in (the) 7th heaven. **I'm on cloud nine.** **I'm sitting on top of the world.**	Je suis au 7e ciel.
He's as happy as a sandboy/as a lark *(GB).* **He's as pleased as punch.**	Il est heureux comme un poisson dans l'eau.

She's as merry as a cricket.
Elle est gaie comme un pinson.
They're all walking on air. Ils ne se sentent plus de joie.
They're riding high. Ils se sentent des ailes.
What a lovely/delightful/marvellous/wonderful surprise, you being here.
Vous ici? Quelle bonne surprise! C'est merveilleux/épatant!
Isn't life just **great?**
La vie est formidable, ne trouvez-vous pas?
It's wonderful/fantastic! C'est merveilleux/magnifique!
So he's coming after all? **That's great/super/brilliant** *(GB)***!**
Alors finalement il vient. Formidable/super/génial!
We're going **to have a good laugh** with him.
On ne va pas s'ennuyer avec lui.
We're going **to have a really good time** with him.
On va se payer du bon temps avec lui.
You bet **we're going to have fun!**
Tu parles! On va s'en payer!
There's never a dull moment when he's around!
On ne s'ennuie pas avec lui.

We'll **have a right rollicking time!** *(GB)*
Qu'est-ce qu'on va se marrer!

We're going to have a night on the tiles! *(GB)*
On va faire la vie toute la nuit.

Wow! *(US)* Waoo!

I'm so glad I could jump for joy!
Ça me donne envie de sauter de joie!
It makes me want to kick up my heels.
Ça m'en donne des fourmis dans les jambes.

PROVERB

The more, the merrier. Plus on est de fous, plus on rit.

4

Weariness

(fatigue, lassitude)

I'm tired. Je suis fatigué(e).
I'm terribly/awfully/extremely tired.
Je suis terriblement fatigué(e).
I'm exhausted. Je suis épuisé(e)/rompu(e).
I'm ready/fit to drop. Je tombe de fatigue.
I'm worn out. Je n'en puis plus.
The sandman will soon be on his way.
Le marchand de sable ne va pas tarder à passer.
I could collapse. Je ne tiens plus sur mes jambes.
I'm ready to drop like a stone.
Je sens que je vais tomber comme une masse.
I could flake out. Je suis au bord de l'évanouissement.
I'm completely drained. Je suis complètement vidé(e).
I'm on my last legs. Je ne tiens plus debout.
I haven't an ounce of energy left (in me).
Je n'ai plus un gramme d'énergie.
I'm drained. Je suis vidé(e).

I'm dead beat. Je suis crevé(e).
I'm washed out/burned out. Je suis lessivé(e).
I'm dog-tired/bone-tired/fagged out *(GB)*/**pooped/knackered/shattered** *(GB).*
Je suis vanné(e).

I'm shagged (out)/buggered. *(GB)*
Je suis sur les genoux/sur les rotules/flagada.

I DON'T FEEL TOO GOOD TODAY.

5 Weakness

(faiblesse, malaise)

I don't feel too good today.
I'm not feeling too good/very well today.
Je ne me sens pas très bien aujourd'hui.

I feel out of sorts. Je ne me sens pas en forme.

I don't feel all that great.
Je ne me sens pas au mieux de ma forme.

I feel a bit queer. *(GB)*
I feel sort of queer. *(GB)*
Je me sens tout drôle.

I feel feverish/shaky/poorly/peaky.
Je me sens fiévreux(se)/plein(e) de frissons/flagada/patraque/faiblard.

I feel under the weather.
Je ne me sens pas dans mon assiette.

I think I've got the 'flu coming on.
Je crois que je sens venir la grippe.

I think I'm in for a good dose of the 'flu. *(GB)*
Je crois que je me prépare une bonne grippe.

I've been a bit wobbly (on my feet) all day.
Je me suis senti les jambes en coton toute la journée.

I don't feel 100 %. *(GB)*
Ce n'est pas la grande forme.

I feel as limp as a rag/like a limp rag.
Je me sens comme une chiffe molle.

I don't know what's wrong with me.
Je ne sais pas ce que j'ai qui ne va pas.

I'm sorry but I don't feel up to going out now.
Désolé(e), mais je ne me sens pas la force de sortir maintenant.

I feel pretty wishy-washy today.
Je me sens tout ramollo aujourd'hui.

I feel weak-kneed.
J'ai des faiblesses dans les genoux/les rotules.

I feel like a lame duck. Je me sens comme une épave.
She really feels watered down this morning.
Elle se sent complètement à plat ce matin.

6

Pain

(douleur)

➡ PHYSICAL PAIN (douleur physique)

I'm in agony. Je souffre atrocement.
It's sheer agony/purgatory.
Je souffre le martyre. C'est un enfer.
I've got a splitting headache.
J'ai un mal de tête épouvantable.
These shoes are killing me.
Je souffre le martyre dans ces chaussures.
My back aches/is aching.
J'ai mal dans le dos./Mon dos me fait souffrir.
I'm sore all over, as if I'd been beaten black and blue.
J'ai mal partout, comme si on m'avait roué(e) de coups.
Every joint in my body is sore.
Chacune de mes articulations est douloureuse.
I'm prone to sore throats.
Je suis sujet(te) aux maux de gorge.
This toothache is driving me mad/crazy/through the roof.
Ce mal de dents me rend fou(folle)/dingue.
It's enough to make you scream.
C'est à vous faire hurler.
I was bent double with (the) pain.
J'étais plié(e) en deux de douleur.

My corns are giving me gyp/are shooting like mad. *(GB)*
Mes cors aux pieds me font un mal de chien.

I've got pangs of hunger. J'ai des crampes d'estomac.
Ouch! That hurts! Ouille! Ça fait mal!
That stings! Ça pique!

These shoes are murder. **These shoes are giving me murder.** *(GB)*	Ces chaussures, quel supplice!

I've got a sore tummy/tummy ache. J'ai bobo au ventre.
That pain rips me apart. Cette douleur est déchirante.
This headache is living death. Ce mal de tête me tue.
It stings red hot. Ça pique comme le diable.
This pain is putting me through the mill/the wringer/Hell.
Cette douleur me met à la torture/est un vrai supplice/est infernale.

This illness makes him sweat bullets. *(US)*
Cette maladie lui donne des sueurs épouvantables.
That hurts like crazy! Ça me fait un mal de chien!

➡ MORAL PAIN/SUFFERING (douleur morale)

He was stricken with grief. Le chagrin l'affligeait.
Tears sprang to my eyes.
Tears welled up. | J'en avais les larmes aux yeux.
He was consumed with grief. Il se consumait de chagrin.
We were tortured by remorse later. Nous avons été rongés de remords par la suite.

It was extremely painful to see him in that state.
Nous étions au supplice de le voir dans cet état.
It was heart-breaking/heart-rending.
C'était déchirant/à vous briser le cœur.
He's been living a dog's life.
Il a eu une vraie vie de chien.
He's been through Hell and high water.
Il en a bavé.
He really took it on the chin.
Il en a pris pour sa gouverne/pour son grade.

He's down in the dumps over their break-up.
Leur rupture le mine.
He's down in the pits. Il est au 36e dessous.
He's hit an all-time low. Il est au plus bas.
He's hit (rock) bottom. Il a touché le fond.

7

Needs

(besoins)

➡ AIR (air)

I need some fresh air. J'ai besoin d'air pur.
I could do with a breath of fresh air.
Un petit peu d'air ne me ferait pas de mal.
There's not much air in here.
Il n'y a pas beaucoup d'air là-dedans.
It's stuffy in here. Ça manque d'air, ici.
It's stifling in here. On étouffe là-dedans.

Give us some air, for Christ's sake!
De l'air, par pitié!

We're going to suffocate! On va mourir asphyxiés!
We were all gasping for air.
On souffrait tous du manque d'air.

➡ MONEY (argent)

I'm hard up. Je suis un peu gêné(e).
I'm short of money just now.
Je suis à court d'argent en ce moment.
I haven't got much ready cash.
Je n'ai pas beaucoup d'argent liquide.
My firm has **gone bankrupt/bust.**
Ma firme a fait faillite/capoté.
I just can't make ends meet.
Je n'arrive plus à joindre les deux bouts.
For months now, I've been **living from hand to mouth.**
Ça fait des mois que je vis au jour le jour.
I'm almost **reduced to begging.**
J'en suis presque réduit(e) à la mendicité.
She hasn't a penny to her name.
Elle n'a plus un sou vaillant.
She hasn't a penny left.
Il ne lui reste plus un centime.
She's down to her last halfpenny *(GB)*/**cent***(US).*
Elle a épuisé ses dernières ressources.

She hasn't got two pennies to rub together.
Elle n'a plus un centime en poche.
I'm completely broke/dead broke/flat broke/stone(y) broke.
Je suis complètement fauché(e).

I'm skinned/skint *(GB)*/**busted** *(US)*.
Je suis raide (comme la justice).
I haven't got a bean. *(GB)* Je n'ai plus un radis.
I'm on skid-row. Je suis complètement à sec.
He's in a hole. Il est dans l'impasse.

He's in the red. Il est à découvert.
The tax collector **put the bite on them.**
Le percepteur les a harponnés.

Now they don't have a red cent. *(US)*
Il n'ont pas un sou vaillant à présent.
They need to make a quick buck. *(US)*
Il faut qu'ils se refassent rapidement.

➡ DRINK (boisson)

I'm thirsty. J'ai soif.
I'm dying of thirst. Je meurs de soif.
I could drink gallons of water.
Je boirais la mer et ses poissons.
I could do with **something to quench my thirst.**
Je prendrais bien quelque chose pour étancher ma soif.
Give me anything at all – as long as it's wet!
Donnez-moi n'importe quoi – du moment que c'est du liquide!
I'm parched. J'ai la gorge desséchée.
My mouth is made of cotton.
J'ai le gosier complètement desséché.

I need **to wet my whistle.** J'ai besoin de me rincer la dalle.

➡ WARMTH (chaleur)

I'm cold. J'ai froid.
It's icy cold here. Il fait un froid polaire ici.
I feel the cold. Je suis frileux(se).
I'm frozen. Je suis gelé(e).
I'm frozen to the marrow.
Je suis glacé(e) jusqu'à la moelle.
If this cold weather continues, I'll **be frozen stiff.**
Si ce froid persiste je vais prendre en glace.
We'll all be **turned into blocks of ice/into icebergs.**
On va tous se retrouver transformés en glaçons.
It's freezing cold in here.
Il fait un froid de canard là-dedans.

Brrr! It's chilly in here!
Aglagla! On gèle là-dedans!
The cold makes my teeth chatter.
On claque des dents de froid.
It's enough to make you catch your death of cold.
Il y a de quoi attraper la crève.
This room is like an icebox.
Cette pièce est un vrai frigo.

The cold would freeze the balls off a brass monkey!
On se les caille.
It's brass monkey(s) weather. On se les gèle.
It's as cold as a witch's tit in a brass bra. *(Hum.)*
Il gèle à pierre fendre.

➡ NATURE'S CALLS (besoins naturels)

I'd like to wash my hands, if I may. *(GB, a euphemism, generally said by a lady)*
J'aimerais "me laver les mains", s'il vous plaît.
I'd like to powder my nose. *(GB, a euphemism, always said by a lady!)*
J'aimerais "me refaire une beauté".

Where are the restrooms/is the bathroom please? *(US)* **Where is the men's room?** **Where is the ladies' room/the powder room** *(US)*?	Où sont les toilettes, s'il vous plait?

Where is the toilet/lavatory, please?
Où sont les waters/w.c. s'il vous plait?
I must go to the toilet. Il faut que j'aille aux toilettes.
Nature calls. J'ai une envie pressée.

I must pay a visit. Je dois aller au petit coin.
I must (go and) spend a penny. *(GB)*
Il faut que j'aille aux toilettes.
Mummy! I want to go wee-wee/pooh-pooh. *(GB)*
Maman! J'ai envie de faire pipi/caca.
Mommy! I have to pee-pee/do-do. *(US)*
Maman, je dois faire pipi/caca.
I must go to the loo *(GB)*/**john** *(US)*/**can** *(US)*.
Il faut que j'aille au petit coin/aux chiottes.

➡ FOOD (nourriture)

I'm hungry. J'ai faim.

I'm starved! *(US)* **I'm starving/ravenous.** *(GB)*	Je meurs de faim.

I could eat a horse. J'ai une faim de loup.

Yum, yum... Miam, miam...

I'm dying of hunger. Je meurs de faim.
My stomach's growling. Mon estomac fait des gargouillis.
He eats like a bird : he's so particular/finicky!
Il a un appétit d'oiseau. Il est tellement difficile.

PROVERBS

A hungry man is an angry man.
Ventre affamé n'a pas d'oreilles.
The way to a man's heart is through his stomach.
Ce sont les bons petits plats qui retiennent les petits maris.

➡ PROTECTION (protection)

Help! Au secours!
Stop thief! Au voleur!
Fire! Au feu!
Send for a doctor at once! Vite un docteur!
Call the fire-brigade! Appelez les pompiers!
Save me! I'm drowning! A l'aide! Je me noie!
Somebody help me – please!
Pour l'amour du ciel, aidez-moi!
Run for your life! Sauve qui peut!

Hit the deck! Tous à plat ventre!
Call the cops! *(US)* Appelez les flics!

➡ LOVE (amour)

That child needs to be loved.
Cet enfant a besoin d'être aimé.
That child is in need of affection.
Cet enfant manque d'affection.
That child wants loving.
Cet enfant manque de tendresse/d'amour.
We all need love.
Tout le monde a besoin d'être aimé.
No one can go/do without love.
Personne ne peut se passer d'amour.
I miss you very much. Tu me manques beaucoup.
I miss you terribly. Tu me manques affreusement.
I miss you something awful. Tu me manques, c'est fou.
I can't live without you. Je ne peux me passer de toi.
I can't go on living without you.
Je ne peux continuer à vivre sans toi.

Your love means so much to me.
Ta tendresse est si importante pour moi.
Those newlyweds are in their lovey-dovey days.
Ces jeunes mariés sont encore des tourtereaux.
Give me a hug/a bear hug.
Dans mes bras!/Serre-moi fort.

PROVERB

Absence makes the heart grow fonder.
L'absence rapproche les cœurs.
Love me, love my dog. Qui m'aime, aime mon chien.

Desires and wishes

(désirs, envies)

I'd love to go to China.
J'aimerais follement aller en Chine.

I'd so like to visit the Far East.
J'ai une folle envie d'aller en Extrême-Orient.
I'd dearly love to return to my homeland.
Comme il serait bon de retourner dans mon pays!
My dearest wish is to go back there again before I die.
Mon vœu le plus cher est d'y retourner avant de mourir.

Sadly, I know **that's just wishful thinking!**
Malheureusement je sais que cela n'est qu'un vœu pieux!

Please God that our children should be happy!
Puissent nos enfants être heureux!
May they never know what poverty is!
Puissent-ils ne jamais connaître la pauvreté!
All I wish is to be left alone in peace.
Tout ce que je désire c'est qu'on me laisse tranquille.
That is my only/sole wish.
C'est mon seul/unique désir.

All I want is to live somewhere quietly.
Tout ce que je veux c'est vivre au calme.

I'd give my back teeth/my last penny *(GB)***/my bottom dollar** *(US)* **to be 20 again!**
Je donnerais tout l'or du monde pour retrouver mes 20 ans.

It would be wonderful if there were no more wars.
Comme ce serait merveilleux s'il n'y avait plus de guerres!
Travelling **is all he ever thinks of.**
Il ne rêve que de voyager.
She wants to have a child.
Elle veut avoir un enfant.
She so wants to have a child.
Elle désire tellement avoir un enfant.
She desperately wants to have a child.
Elle meurt d'envie d'avoir un enfant.
Having a baby - **that's all she's got in her head.**
Elle ne pense qu'à ça.

— HER BIOLOGICAL CLOCK IS TICKING —

Her biological clock is ticking.
Ce qu'elle veut c'est un enfant.
I'm dying to get out of this damned one-horse town!
Je crève d'envie de quitter ce foutu bled!
I can't wait to get out of this hole of a place.
Vivement que je quitte ce trou perdu!
She's got a bee in her bonnet.
Quand elle a quelque chose dans la tête...
His ideas are just pie in the sky.
Il croit au Père Noël.
Talk about castles in the air!
Et de bâtir des châteaux en Espagne!
His so-called projects are just pipe-dreams.
Ses soi-disant projets ne sont que des rêves éveillés.

9

Preference

(préférence)

I far prefer reading **to** listening to music.
Je préfère, et de loin, la lecture à la musique.

Which (one) do I prefer? I prefer the green one.
Lequel (Laquelle) je préfére? Le vert (La verte).
I prefer tea **to** coffee. Je préfère le thé au café.
I'd rather play football **than** go for a walk.
J'aimerais mieux jouer au football que d'aller me promener.
Thanks for offering me a lift, but **I('d) prefer to** walk.
Merci pour votre offre de me raccompagner en voiture, mais je préfère marcher.
I'd as soon travel by plane.
Je pencherais plutôt pour les voyages en avion.
I'd (just) as soon travel by plane **as** by train.
Je voyagerais plus volontiers en avion qu'en train.
I'd just as rather not go out this afternoon. *(GB)*
Je préfèrerais simplement ne pas sortir cet après-midi.
Sherry, that's what **I like most of all/best of all.**
Le madère, est ce que je préfère/ce que j'aime plus que tout.
I like Martini **better.** Je préfère le Martini.
What I love above all/all else is modern sculpture.
Ce que j'aime par dessus tout est la sculpture moderne.

She has a (marked) preference for designer clothes.
Elle a une préférence très nette pour les vêtements "couture".

10

Indifference

(indifférence)

I've nothing against cycling, but **it doesn't really appeal to me.**
Le vélo, je n'ai rien contre, mais ça ne me tente pas vraiment.
I wouldn't go overboard for his work.
Je ne ferais pas de folies pour son œuvre.
I'm not all that keen *(GB)*/**hot** *(US)* **on** her novels.
Je ne suis pas fana de ses romans.
Modern art **leaves me cold.**
L'Art moderne, ça me laisse froid(e).
This kind of music **does nothing for me/doesn't do (very) much for me.**
Ce genre de musique ne me fait ni chaud ni froid.
The colour **doesn't matter all that much.**
La couleur importe peu.
I don't mind the colour **all that much.**
Je n'attache pas une très grande importance à la couleur.
It doesn't make much difference.
Ça n'a pas beaucoup d'importance.
It makes no difference. Ça n'a aucune importance.
I suppose it's six of one and half a dozen of the other.
Je pense que tout ça se vaut/c'est bonnet blanc et blanc bonnet.
I'm not all that interested in his private life.
Sa vie privée ne m'intéresse pas beaucoup.

It's nothing to write home about.
Il n'y a pas de quoi en faire une thèse.
He's resigning. **So what?** Il démissionne. Bon et alors?

Who cares? Qui s'en soucie?
I really couldn't care less about what happens to him.
Je me moque éperdûment de ce qui lui arrive.

It's no skin off my nose.
Qu'est-ce que ça peut bien me faire?
To me, his rude remarks are **like water off a duck's back.** *(GB)*
Moi, ses grossièretés glissent sur moi comme sur des plumes de canard.

Whatever he says **goes in one ear and out of the other.**
Ce qu'il dit me rentre par une oreille et me sort par l'autre.

See if I care! Qu'est-ce que j'en ai à faire?
I couldn't care less! J'en ai rien à f....

I don't care a fig/jot! *(GB)* **I don't care a damn/bugger!** *(GB)*	Je m'en fous complètement./Je m'en fous comme de l'an 40./ J'en ai rien à f..../etc.

I don't give a damn about that!
Je me fous complètement de ça!

This doesn't turn me on at all. *(US)*
Ça me laisse froid.

It's not really my cup of tea. **It's not really my scene/my bag.** *(US)*	C'est pas mon truc.

It doesn't really grab me.
Ça ne me branche pas vraiment.

11

Aversions

(aversion)

You'd have to pay me to go and see that show!
Il faudrait me payer pour aller voir ce spectacle!
We're not particularly keen/over-keen/all that keen on that kind of performance.
Nous ne sommes pas particulièrement portés sur ce genre de prestation.

I'm not a great lover/no great lover of that style of painting.
Je ne suis pas très amateur de ce genre de peinture.

I detest that person. Je déteste cette personne.

I loathe vulgar people. J'exècre les gens vulgaires.
I abhor bull-fighting. La corrida, ça me fait horreur.
It's loathesome! C'est infect!

It's repulsive! C'est répugnant!
It's disgusting! C'est dégoûtant!
It's horrendous! C'est épouvantable!
I don't like political speeches at all.
Je n'aime pas du tout les discours politiques.

I dislike them (intensely).
Je les ai en profonde aversion.

I hate them. Je les déteste.
Pat's really awful! Patricia est vraiment insupportable!
I can't stand/bear/put up with her.
Je ne peux pas la supporter.
She bores me to tears/stiff.
Elle m'ennuie à mourir.
I have no time for snobbish people.
Je n'ai pas de temps à perdre avec des snobs.
A caravan holiday? No thank you!
Des vacances en caravane? Non merci!
Departmental meetings? The fewer the better!
Les sessions départementales? Moins il y en a mieux je me porte!

Count me out! Très peu pour moi!
That's not my cup of tea! Ce n'est pas mon truc!
It's not my bag/my thing. *(US)*
C'est pas mon truc.

I don't go for that kind of thing.
Ça ne me branche pas ce genre de chose.

I don't suffer fools easily.
J'ai du mal à supporter les imbéciles.

I can't be doing with uppish people. *(GB)*
Je ne peux pas encaisser les gens de la haute.

That's the kind of thing that turns me right off.
C'est le genre de chose qui me dégoûte.

I can't stomach remarks like that.
Je n'arrive pas à avaler ce genre de remarques.

Yuk! Pouah!
Ugh! Beurk!
Stinks! Puant! Dégueu!

It makes me puke. C'est franchement dégueulasse!
It makes me want to spew/puke/throw up.
Ça vous débecte./C'est à vous faire vomir.
Gag me with a spoon! *(US)* Ça me lève le cœur!

12

Uneasiness and embarrassment

(gêne, embarras)

Well... I... er... actually... How shall/should I put it?
Eh bien voilà.. je... euh... à vrai dire... Comment dire?/Comment dirais-je?
The point is... you see... it's a bit difficult... if you see what I mean...
C'est que... voyez-vous... c'est un peu délicat... si vous voyez ce que je veux dire...
I don't quite know what to say.
Je ne sais pas trop quoi dire.
How can I explain? Comment vous expliquer?
I'm not sure how I should put this, but...
Je ne sais pas trop comment dire mais...
What can I say? Que dire?
The thing is... A vrai dire...
I feel rather embarrassed.
Je me sens vraiment gêné(e).
I'm in an awkward position/a tight corner.
Je me sens dans mes petits souliers.
This has put me in a bit of a fix.
Je me suis mis(e) dans un drôle d'embarras.

The egg's on my face!/There's egg on my face!
J'ai bonne mine!
I wasn't half red in the face!
J'étais drôlement rouge!
Was my face red! Qu'est-ce que j'étais rouge!

I didn't half feel embarrassed. *(GB)*
Je me sentais drôlement embarrassé(e).
Did I feel embarrassed!
Qu'est-ce que j'étais gêné(e)!

I felt/looked a proper Charley/Charlie! *(GB)*
J'avais l'air malin/fin.
Embarrassed? You can say that again!
Gêné? Ça tu peux le dire!

Embarrassed isn't the word for it. Gêné, c'est peu dire.
I was as red as a beetroot.
J'étais rouge jusqu'à la racine des cheveux/comme une pivoine.

I wanted the ground to open up (under me)(and swallow me up).
J'aurais voulu disparaître dans un trou de souris.
I didn't know which way/where to look.
Je ne savais plus où poser les yeux.
I really had set the cat among the pigeons.
J'avais lâché une belle boulette.
I had put my foot in it once again.
J'avais encore mis les pieds dans le plat.

I really put my foot in my mouth!
J'ai vraiment fait l'andouille!

I didn't know which way to turn/what to do with myself/where to hide.
Je ne savais plus où me mettre/me fourrer.

13

Fear

(peur)

We're anxious about our children's future.
Nous craignons beaucoup pour l'avenir de nos enfants.
We fear the worst. Nous redoutons le pire.
His words **make me shudder.**
Ses paroles me font frémir.

The Head **puts the fear of God into** the pupils.
Le directeur inspire une sainte terreur aux élèves.
What he said **made my blood run cold.**
Ce qu'il a dit m'a glacé le sang dans les veines.
I was scared to death at the thought of it.
J'étais mort(e) de frayeur rien que d'y penser.
It makes your hair stand on end.
Ça vous fait dresser les cheveux sur la tête.
Even his voice **makes my flesh creep/gives me goose-pimples.**
Même sa voix me donne la chair de poule.
It's enough to make you **break out into a cold sweat.**
C'est à vous donner des sueurs froides.
His cynicism **terrifies/scares me.**
Son cynisme m'épouvante.
Luckily, **we got off with a (good) fright.**
Heureusement, nous en avons été quittes pour la peur.
The passengers were all **panic-stricken** when the plane went into a dive.
Les passagers ont tous été saisis de panique quand l'avion a piqué du nez.
You gave me quite a turn/scare (then/there).
Tu m'as fait une de ces peurs.

I wasn't half scared. Qu'est-ce que j'ai eu peur!
Gosh! Was I scared! Bon sang! Quelle frousse!

I nearly died of fright. J'ai failli mourir de frayeur.
The poor actress **got stage-fright.**
La pauvre actrice avait le trac.
The poor actress **lost her nerve.**
La pauvre actrice perdait tous ses moyens.
She was shaking like a leaf.
Elle tremblait comme une feuille.
What's the matter? **You look as though you'd seen a ghost!**
Qu'est-ce qui se passe? On dirait que tu as vu un fantôme.
You're as white as a sheet!
Tu es blanc comme un linge.

I've got butterflies in my stomach! J'ai le trac!
That's spooky! Ça fait froid dans le dos.
You scared the hell out of us! / **You scared the living daylight(s) out of us!** Quelle trouille tu nous as flanquée!
I was scared out of my wits. Je n'en menais pas large.
I was shaking in my boots. J'avais la tremblotte.
I (really) got the wind/breeze up. / **I (really) got the bullets.** *(US)* J'avais vraiment la pétoche.
I was sweating buckets. / **The sweat was pouring off me.** Je n'avais plus un poil de sec.
It gave me the jitters. Ça m'a flanqué les jetons.

I was shit scared. J'avais le trouillomètre à zéro.
I was scared shitless. J'en avais la ch... de trouille.
I nearly had brown knickers. J'en ai presque fait dans mon froc.

PROVERB

Nothing venture(d), nothing gain(ed). Qui ne risque rien n'a rien.

14

Sadness

(tristesse)

What grieves you so?
Qu'est-ce qui vous peine ainsi?
She's the very picture of sadness.
C'est une vraie Marie-Madeleine.

It's sad to see you all in tears.
C'est triste de vous voir tout en larmes.
What has upset you like that?
Qu'est-ce qui vous a bouleversé à ce point?
This room is sad/cheerless/gloomy.
Cette pièce est triste/sinistre/lugubre.
This miserable weather gets me down.
Ce sale temps me déprime.
She always tends to see the dark side of things.
Elle voit toujours tout en noir.
The slightest thing depresses her/gets her down/gives her the blues *(US).*
La moindre chose la déprime/l'abat/lui donne le cafard.
She cried her eyes out.
Elle pleurait comme une Madeleine.
He's always walking about with a long face.
Il fait toujours une tête d'enterrement.
He's always about/walking about with a face as long as next week.
Il est triste comme un jour sans pain.
Why is she always sobbing and moping?
Pourquoi est-ce qu'elle n'arrête pas de sangloter et de se morfondre?
What is she so sad/cut up about?
Qu'est-ce donc qui la mine ainsi?

She's down in the dumps. Elle a le cafard.
What a bummer! *(US)* Quelle poisse!
That really bums me out! *(US)*
Ça me fout le moral par terre!

15

Uselessness
(inutilité)

All our efforts were of no avail.
Tous nos efforts n'ont servi à rien.
Our efforts came to naught/nothing.
Nos efforts n'ont servi à rien du tout.

Rushing was pointless/useless.
It was pointless/useless to rush.
There was no point in rushing.
Nous n'avions nul besoin de nous précipiter.
It's no use rushing. Ce n'est pas la peine de se précipiter.

We needn't have got into such a flap.
There was no need (for us) to get into such a flap.
Il n'y avait pas lieu de s'affoler ainsi.

It wasn't worth it. Ça n'était pas la peine.
We shouldn't have worked so hard.
On n'aurait pas dû travailler autant.
All that's (a) wasted effort on our part.
Tout ça c'est peine perdue.
We've wasted our time and our money.
Nous avons gaspillé notre temps et notre argent.
What a waste of time and money!
Quelle perte de temps et d'argent.
I (can) see no point in going on with this matter.
Je ne vois aucun intérêt à continuer sur ce sujet.
There's no rhyme nor reason in that.
Tout cela n'a ni rime ni raison/ne rime à rien.

We've slaved our guts out/We've worked ourselves to death - for peanuts!
On a trimé pour des prunes. On s'est crevé pour rien.
All this for nothing/nowt *(GB, North)***!**
Tout ça pour du beurre/pour rien!
Talk about casting pearls before swine!
C'est vraiment jeter des perles aux cochons.
Talk about throwing the baby out with the bath-water!
Cela revient à jeter le bébé avec l'eau du bain.
Do you think I did all this for free?
Tu crois que j'ai fait tout ça pour rien/tes beaux yeux?

16

Resignation

(résignation)

Oh well... Ah bon...
Too bad! Tant pis!
It's probably just as well that way/better that way.
C'est sans doute mieux ainsi.
Grin and bear it!
Mieux vaut en prendre son parti!
Make the most/best of it!
Il faut en tirer son parti!
Try and make the best of a bad job!
Il faut bien s'accommoder des choses.
Serves me right, I suppose!
C'est bien fait pour moi, je pense.
I suppose it was bound to happen.
Je suppose que ça devait arriver.
It was bound to end like this.
Ça devait se terminer ainsi.
It was on *(GB)*/**in** *(US)* **the cards, I guess.**
C'était écrit selon moi.
What's the point/use of fighting?
A quoi bon lutter?
There must be a jinx on me.
La fatalité s'acharne sur moi.
God willed it. Dieu en a décidé ainsi.
It was God's will. C'était la volonté divine.
I've never been lucky anyway.
Je n'ai jamais eu de chance de toute façon.
Why should things be different now?
Pourquoi les choses changeraient-elles maintenant?

Fate has never smiled on me.
Je crois que le sort ne m'a jamais souri.

There's not much we can do about it.
Je ne vois pas grand'chose à y faire.

That's the way it is! **That's the way the ball bounces.**	C'est comme ça!
That's the way of the world! **That's the way the cookie crumbles!** *(US)*	C'est la vie!

Things could be worse, I suppose.
Les choses pourraient être pires je suppose.
That's all water under the bridge now.
Tout ça c'est du passé. Beaucoup d'eau est passée sous les ponts depuis!
Forget it! Oubliez tout ça!

PROVERBS

What's done can't be undone.
What's done is done. | Ce qui est fait est fait.

It's no use crying over spilt milk. Rien ne sert de pleurer quand le mal est fait.

17

Bitterness, dismay, despair

(amertume, désarroi, désespoir)

Oh Lord! What will become of us?
Seigneur! Qu'allons nous devenir?
(Oh) my God! What a disaster!
Oh mon Dieu! Quelle catastrophe!
There's not even a ray/a flicker of hope.
Pas la moindre lueur d'espoir.
How on earth are we going to manage?
Comment diable allons-nous nous en sortir?
We'll never get over this/recover from this.
Nous ne nous en remettrons jamais!

I really feel down today.
Je me sens vraiment cafardeux(se) aujourd'hui.
I'm down in the dumps.
Je suis dans le creux de la vague./J'ai un cafard monstre.
I think I've hit an all-time low.
Je crois que je suis au plus bas de ma forme.

My business has gone down the drain/down the tubes.
Mon affaire est en pleine déconfiture.

Competition has done me in.
La concurrence m'a eu(e).
I've come up broke again.
Je me retrouve fauché(e) encore un coup.
I'm on skid-row! Je suis dans la dèche!

I've wasted my time/life.
J'ai gaspillé mon temps/gâché ma vie.
I've made a mess of my life.
J'ai fait un vrai gâchis de ma vie.
I'm a failure. Je suis un raté.
Everything I touch turns to dust.
Tout ce que j'entreprends rate.
As usual, I've missed the boat.
Comme d'habitude, j'ai raté le coche.

All washed-up/burned-out at 40!
A 40 ans, je suis fini(e).
I'm a nobody now. Je ne suis plus rien.
It's all up with me. Je suis foutu(e).

It's all over for me. Tout est foutu pour moi.
I can't go on like this.
Je ne peux pas continuer ainsi.
I can't take it any more. Je n'en puis plus.
I'm at the end of my rope/tether.
Je suis au bout du rouleau.
It's the end of the road for me.
C'est le bout du chemin pour moi.

▒▒ **My goose is cooked.** Les carottes sont cuites.

Life is no longer a pleasure.
Life isn't worth living any more.
La vie ne vaut plus la peine d'être vécue.
What's the point of going on living?
A quoi bon continuer de vivre?

▒▒ **I want out!** Je veux en finir.

Better end it once and for all.
Mieux vaut en finir une bonne fois pour toutes.
I'm going to do away with myself.
Je vais me supprimer/me flinguer.
I'm going to blow my brains out.
Je vais me faire sauter la cervelle.

PROVERB

It never rains but it pours.
Un malheur n'arrive jamais seul.

18

Pity
(pitié)

When I saw them, my heart melted.
Quand je les ai vus, j'ai senti mon cœur fondre.
Their plight moved me to tears.
Leur détresse m'a ému(e) aux larmes.
They were a pitiful sight to see.
Ils faisaient pitié à voir.
My heart goes out to them.
Je suis de tout cœur avec eux.

Nobody could have failed to feel sorry for them.
Personne n'aurait pu s'empêcher de les plaindre.
It breaks my heart to see them suffer.
Cela me brise le cœur de les voir souffrir.

Take pity on them! **Show some pity for them!** **Have some pity for them!**	Ayez pitié d'eux!

Show them some pity!
Témoignez leur d'un peu de pitié!
For pity's sake – think of their children.
Par pitié ! Pensez à leurs enfants!

For God's sake – spare them this!
Pour l'amour du ciel, épargnez leur ça!
Surely you haven't a heart of stone?
Vous n'avez tout de même pas un cœur de pierre?

19

Regret
(regret)

His absence was sadly noted by all present at the Board meeting.
Son absence a été vivement ressentie par tous au Conseil d'Administration.
He will be sadly missed by his family and friends. *(obituary)*
Il va être très regretté par sa famille et ses amis.

Everyone was so/awfully/(so) terribly sorry not to see you.
Tout le monde était absolument navré de ne pas vous voir.
We're dreadfully sorry about this hold-up in delivery.
Nous sommes vraiment désolés de ce retard dans la livraison.
How I regret buying/having bought that second-hand car!
Comme je regrette d'avoir acheté cette voiture d'occasion!
I wish I hadn't bought that old car.
Je n'aurais pas dû acheter cette vieille voiture.
I wish I could lend you a hand.
Je voudrais pouvoir vous donner un coup de main.
How I wish she was/were here with us!
Comme j'aimerais qu'elle soit ici avec nous.

We regret to inform you that your current account is overdrawn.
Nous sommes au regret de vous informer que votre compte courant est à découvert.

His only regret was that he wasn't able to keep his dog.
Son seul regret a été de ne pouvoir garder son chien.
What a pity/shame he couldn't keep it!
Quel dommage qu'il n'ait pu le garder!
It's a shame/pity he has had to sack most of his workforce.
Il est regrettable qu'il ait dû vider la plupart de ses employés.
It's a crying/downright/out-and-out shame.
C'est vraiment dommage!
If only he had been able to hold on to his best workers.
Si seulement il avait pu retenir ses meilleurs ouvriers!
Had he only been able to get to a phone sooner!
Si seulement il avait pu trouver un téléphone plus tôt!

PROVERB

A fault confessed is a fault redressed.
Faute avouée est à demi pardonnée.

20

Remorse

(remords)

Whatever came over me to say a thing like that?
Qu'est-ce donc qui m'a pris de dire une chose pareille?
What on earth possessed me? Quel démon m'a poussé?
How I regret having ever opened my mouth.
Comme je regrette d'avoir parlé.
I should have kept my big mouth closed/shut.
J'aurais dû fermer ma grande gueule.
If only I'd known! I'd never have told him the truth.
Si seulement j'avais su ! Je ne lui aurais jamais dit la vérité.
I should never have mentioned it to him.
Je n'aurais jamais dû lui en parler.
Unfortunately, it's too late.
Malheureusement il est trop tard.
What the devil made me drag up that old affair?
Qu'est-ce qui m'a poussé à déballer ces vieilles histoires?
Why on earth did I drag that up?
Qu'est-ce qui m'a pris de ressortir tout ça?

Why the devil did I let the cat out of the bag?
Pourquoi diable ai-je lâché le morceau?

What a fool I was! Quel(le) idiot(e) j'ai été!
The very thought of it makes me feel sick.
Rien que d'y penser ça me rend malade.
I could kick myself. Je me donnerais des coups.

I'd have done better never to go there. **I'd have been better (off) not going there.**	J'aurais mieux fait de ne jamais y aller.

Unfortunately, there's no going back now.
Malheureusement, pas moyen de faire marche arrière.

I've dropped a proper/right clanger! *(GB)*
J'ai fait une belle gaffe.
Trust me to make a boob!
J'en fais toujours de bonnes, vous pouvez me faire confiance.

I really have put my foot in it this time.
J'ai vraiment fait la gaffe ce coup-ci.
I'm afraid I've made a real mess/hash of things.
J'ai fait du propre, j'en ai bien peur.

21

Nostalgia
(nostalgie)

Time was when children were seen and not heard.
J'ai connu une époque où les enfants savaient se taire.
Gone are the days when young people respected their elders.
Il est bien révolu le temps où les jeunes respectaient leurs aînés.
Those were the days! Ah, c'était le bon temps!
Ah – the good old days! Ah! C'était le bon temps!
They don't make them like that any more!
Des comme ça, on n'en fait plus!
You don't find young ladies like that any more.
Des jeunes filles comme ça, on n'en trouve plus.
In those days, people knew the meaning of work.
Autrefois, les gens savaient ce qu'est le travail.
If only we could put/turn the clock back 50 years!
Si seulement on pouvait revenir 50 ans en arrière!
In my day, people wouldn't have stood for behaviour like that.
De mon temps, on n'aurait pas toléré ce genre de comportement.
All that is a thing of the past now.
Tout ça c'est du passé.
This class reunion has been a walk down memory-lane.
Cette réunion d'anciens élèves a été un vrai pèlerinage dans le passé.
I can't help dwelling on the past.
Je ne peux pas me détacher du passé, c'est plus fort que moi.
Life used to be more exciting then.
La vie était plus exaltante alors.

22

Horror

(horreur)

You look as though you'd seen a ghost!
On dirait que tu as rencontré un fantôme!
You look as white as a sheet!
Tu es blanc comme un linge.
You're as cold as a clam. Tu es froid comme le marbre.
It's horrendous! C'est abominable!
It's appalling! C'est épouvantable!
It's dreadful! C'est effrayant!
It's atrocious! C'est atroce!
What carnage! Quel carnage!
What a nightmare! Quel cauchemar!
It's like something out of a nightmare.
C'est une vraie vision de cauchemar.
It was a blood-curdling sight.
C'était à vous figer le sang.
It was really scary. C'était à frémir.
It was hair-raising.
C'était à vous faire dresser les cheveux sur la tête.
It was enough to make you faint.
Il y avait de quoi vous faire tourner de l'œil.

It made my hair stand on end. **It made the hairs stand up on the back of my neck.**	Ça m'a fait dresser les cheveux sur la tête.

It chilled me to the bone/marrow.
Ça m'a glacé(e) jusqu'à la moelle.
It made my blood run cold. Ça m'a glacé le sang.

It made my flesh creep. **It gave me goose-pimples.**	Ça m'a donné la chair de poule.

It made me stop dead in my tracks.
Ça m'a coupé net dans mon élan.

It's spooky! **It's ghastly!** **It's ghoulish!** **It's freaky!** *(US)*	Ça donne froid dans le dos.

☐ **It made me pee in my pants.**
J'en ai pissé dans ma culotte.

23

Relief

(soulagement)

Thank Heaven that's over! Grâce au ciel c'est fini!
Thank God we're safe and sound.
Dieu merci nous sommes sains et saufs.
Thankfully/Mercifully, you were there to help us.
Heureusement que vous étiez là pour nous aider!
What a relief! Quel soulagement!

Phew! That was close!
That was a close call!
Ouf! Il s'en est fallu de peu!

We've had a narrow escape.
It was a narrow squeak.
It was a near/close thing/ close shave!
That was too close for comfort!
Nous l'avons échappé belle!/Il s'en est fallu d'un cheveu!

We can count our lucky stars.
On peut dire qu'on revient de loin.
We (sure) are lucky to have got out of that unharmed.
On a eu une sacrée chance de nous en tirer indemnes.
One second more and it would have been too late.
Une seconde de plus et il était trop tard!
We just made it by a hair's breadth/by a whisker/by the skin of our teeth. Il s'en est fallu d'un cheveu/poil.
We nearly breathed our last. On a bien failli y rester.
A good thing there were no by-standers there.
Heureusement qu'il n'y avait pas de badauds dans le coin.
That takes a weight off my mind.
Ça m'ôte un poids de l'estomac.
The gods were with us.
The gods were smiling on us.
Les dieux étaient avec nous.
Someone up there is looking after me.
Il y a quelqu'un là-haut qui veille sur moi.
It could have been so much worse!
Ç'aurait pu être tellement pire!
We really had luck on our side. On a vraiment eu de la veine.
We were damn(ed) lucky! On a eu une veine de cocus.

A little bit more and we'd have had it./we'd have been gon(n)ers *(US)!* Un peu plus et ça y était/on y restait!

Just as well! Tant mieux!
And a good thing too! Une bonne chose en tous cas!
So much the better! Tant mieux!

24

Surprise

(surprise)

Surprise, surprise! **Well, well!**	Tiens, tiens!

Well, if it isn't the Smiths! Mais... c'est les Smith!

Bless my soul! (It's a) small world, isn't it?
Ça alors ! Le monde est petit pas vrai?

I'd never have imagined I'd see you here! **You were the last person I thought I'd see here.**	Si on m'avait dit que je vous trouverais ici...

Who'd have thought/imagined we'd meet up like this?
Qui aurait pensé qu'on se rencontrerait ainsi?

What are you doing here? Vous ici?

I don't know what to say! **I'm speechless!**	Ça me laisse sans voix!

I'm flabbergasted! J'en suis médusé(e)!

(Just) fancy meeting you here!
Bon sang! Si je m'attendais à vous rencontrer ici!

You don't say! **I can't get over this!**	Je n'en reviens pas!

You could have knocked me down with a feather/the proverbial feather.
J'ai failli en tomber à la renverse.

Your transfer? That's (all) news to me! **Your transfer? That's the first I've heard of it!**	Votre mutation? Première nouvelle!

How come? You – of all people!
Comment ça? Vous? Ça alors?

That's really surprising/amazing/astonishing/astounding.
C'est vraiment surprenant/ahurissant.

How strange/curious!
Comme c'est bizarre/curieux!

It literally took my breath away!
Ça m'a littéralement coupé le souffle.

That really made me sit up and take notice!
Ça m'a fait dresser l'oreille.

I couldn't believe my eyes/ears.
Je n'en croyais pas mes yeux/oreilles.

When I saw him my eyes popped out of their sockets.
Quand je l'ai vu les yeux me sont sortis de la tête.

I still haven't got over the surprise.
Je n'en suis pas encore revenu(e).
I could have sworn I was dreaming.
J'aurais juré que je rêvais.
It (quite) knocked the wind out of my sails.
Ça m'a scié(e).
I was dumbfounded. J'en suis resté(e) baba.

It knocked me for six. *(GB)*
J'en suis resté(e) comme deux ronds de flan.
It knocked me for a loop.
I was blown away! *(US)*
It blew my mind! *(US)*
Ça m'a époustouflé. Ça m'a soufflé!

Upon my word! Crénom d'un chien!

Well I never! Ça par exemple!
My word! Nom de nom!
Good Lord!/Good Heavens! Mon Dieu!/Ciel!
Well I'm blowed! *(GB)* Ça me souffle!

Strike me! *(GB)* Tu me scies!
Strike me pink! *(GB)* Tu m'asseois!
Well, swipe me! *(GB)* Tu me la coupes!
Crikey! *(GB)*
Cripes! *(vieilli) (Schoolboy language)*
Mince alors!
Gee! *(US)* Eh ben mon vieux!
Wow! Waouh!
Holy smoke! Sapristi! Fichtre!
Holy Moses! Saperlipopette!

Fuckin' Ada! *(Hum. Cockney)*
Bloomin' 'eck! *(Cockney)*
Christ! *(GB)*
Bloody hell! *(GB)*
Sh-i-i-i-i-t! *(US)*
M... alors!

25

Presentiment, misgiving

(pressentiment, prescience)

He's been acquitted. Il a été acquitté.

- **I could have told you that!** J'allais le dire.
- **I'd have bet my bottom dollar on it.** *(US)* Je l'aurais parié.
- **I'd have staked my life on it.** J'en aurais mis ma tête à couper.
- **What did I tell you?** Qu'est-ce que je vous disais?
- **Didn't I tell you?** / **I told you so.** / **Didn't I say so/as much?** — Je ne vous l'avais pas dit?
- **I knew it!** Je le savais.
- **Who was right (then)?** Alors, qui avait raison?
- **See!** Tu vois!

There was no evidence against him.
Il n'y avait pas de preuves contre lui.

- **What do you expect?** Tu t'attendais à quoi?
- **Come on!** Ben voyons...
- **No wonder! With his connections...** Pardi, avec ses relations!
- **Little wonder!** / **Hardly surprising!** — Pas étonnant!

The whole thing stuck out a mile/like a sore thumb. — Ça crevait les yeux.

His acquittal was no great surprise/came as no great surprise/didn't surprise us.
Son acquittement ne nous a pas causé de grande surprise.

I could see it coming. Je le voyais venir.

I could feel it in my bones. Je le sentais.

You don't have to be a genius to realise that. / **It doesn't take a genius to see the score.** — Pas besoin d'être grand clerc pour voir de quoi il retourne.

Even a child could have seen through their little game/seen what they were up to.
Même un enfant aurait vu clair dans leur manège.

It was staring us in the face! Ça nous crevait les yeux.

It was as plain as the nose on my face/plain as can be.
C'était comme le nez au milieu du visage.

You can't fool me! Tu ne me la feras pas.

You can't pull the wool over my eyes.
On n'apprend pas à un vieux singe à faire la grimace./On ne me mène pas en bateau..

I wasn't born yesterday, you know.
Je ne suis pas né(e) d'hier, tu sais.

26 Determination

(décision, fermeté)

Enough of this humming and hawing!
Trêve d'atermoiements!
This is no time to procrastinate.
Ce n'est pas le moment de tergiverser.
We're determined to see this through (right) to the (bitter) end.
Nous sommes bien décidés à aller jusqu'au bout.
I have no intention of settling for half-measures.
Je n'ai nulle intention de m'arrêter à des demi-mesures.

I do not intend buying/to buy anything but the best.
Pas question pour moi d'acheter du second choix.
It's totally out of the question that we (should) change our plans in any way.
Il est hors de question que nous changions quoi que ce soit à nos plans.

We will allow no exceptions to the rule.
Il ne sera permis aucune dérogation à la règle.

I'm bent on succeeding.
Je ne peux pas me permettre de perdre.
We will win through. On y arrivera bien.
Nobody/nothing will make me change my mind.
Personne/rien ne me fera changer d'avis.
No one is going to stop me now.
Personne ne pourra m'arrêter maintenant.
We must go for victory!
Il nous faut aller droit à la victoire.
We must keep our spirits high.
Nous devons garder un moral d'acier.
We've got to keep our nose to the grindstone.
Pas question de relâcher nos efforts.
There can be no letting up now.
Pas question d'abandonner en ce moment.
There's no turning back.
On ne peut plus faire marche arrière.
Let's not complicate the issue.
Ne cherchons pas midi à quatorze heures.
We'll not give/budge an inch.
Nous ne cèderons/bougerons pas d'un pouce.
I'm sticking to what I said. Je persiste et signe.
I'm sticking to my guns. Je n'en démordrai pas.

This is not the time to ease up.
Ce n'est pas le moment de se relâcher.

Stop beating about the bush!
Arrêtez de tourner autour du pot.

Let's get down to the problem.
Let's tackle the situation. | Attaquons nous au problème.
Let's get down to brass tacks/the essentials/the nitty-gritty.
Attaquons-nous à l'essentiel.
Let's take the bull by the horns.
Prenons le taureau par les cornes.
We'll have to hold on to our position.
Il va nous falloir rester fermes.
You'll have to roll up your sleeves.
Il va falloir retrousser vos manches.

Get stuck in (there), lads!
Nose to the grindstone, boys! | Faut aller au charbon les gars!
Go for it! Allez-y!

Chin up! De la fermeté!
Stiff upper lip! *(vieilli)* Du cran!

Our team is hell-bent on winning the cup.
Notre équipe doit gagner cette coupe.

My mind is made up. No way I'm giving in!
Ma décision est prise : pas question que je cède!
Don't hold your breath! Ne comptez pas là-dessus!

27

Indecision

(indécision)

Let's see now... Which one shall I have?... I'm not sure.
Voyons... laquelle je vais prendre? ... J'hésite.
Of course, the saloon/sedan is comfortable but, on the other hand, the sports model isn't bad either.
Bien sûr la berline est confortable, mais, d'autre part, le modèle sport n'est pas mal non plus.
But there is a catch/snag/drawback – the price.
Seulement il y a un hic/inconvénient : le prix.
Mind you, that's not the most important thing after all.
Notez bien que ce n'est pas le plus important après tout.

Maybe I'd better think it over. **Maybe I'd be better to think it over/thinking it over.**	Peut-être ferais-je mieux d'y réfléchir.

Although, all things considered, it is a bargain, I suppose.
Bien que, tout bien considéré, c'est une affaire je pense.
I can't make up my mind..., er...
Je n'arrive pas à me décider..., euh...
Oh dear! What shall I do?
Oh mon Dieu! Qu'est-ce que je vais bien faire?
What about tossing a coin? Heads, I buy, tails, I wait.
Et si je faisais ça à pile ou face? Face, j'achète, pile, j'attends.
I'm afraid I just cannot decide one way or the other.
J'ai bien peur de ne pas pouvoir prendre de décision ni dans un sens ni dans l'autre.

I can't summon up enough courage to take the plunge.
Je n'arrive pas à réunir assez de courage pour faire le grand plongeon.

I always seem to fall between two stools. *(GB)*
Je reste toujours assis entre deux chaises en quelque sorte.
She's such a dithery person/ditherer.
Quel paquet de nerfs! Quelle indécise!
She never comes down one way or the other.
Elle ne se décide jamais pour une chose ou pour une autre.
She's forever sitting on the fence.
Elle veut toujours ménager la chèvre et le chou.
He's a great believer in staying his hand.
Il n'est pas du genre à prendre des risques.

Stop hedging! Vas-y carrément!

It's a "Catch 22" situation.
Il n'y a pas moyen de s'en sortir.
I'm really caught in the middle.
Je suis pris entre deux feux.
I'm between a rock and a hard place.
Je suis coincé(e) entre la peste et le choléra.

PROVERB

Lose if you do, lose if you don't.
Pile je gagne, face tu perds! De toutes façons tu es perdant.

PART FIVE

Intellectual activities

1

Calling for attention

(appel à l'attention)

Ladies and Gentlemen, I would ask you to listen carefully to the following announcement.
Mesdames et Messieurs, je requiers toute votre attention en vue de l'annonce qui va vous être faite.
Ladies and Gentlemen, may I ask you to pay particular attention to Article 64?
Puis-je vous demander de prêter une attention toute particulière à l'article N° 64?
May I draw/I would draw/I would like to draw your attention to the importance of this meeting.
J'aimerais attirer votre attention sur l'importance de cette réunion.
May I kindly remind/I would remind/I would like to remind the audience once again that smoking is not allowed in the auditorium.
Je rappelle aux auditeurs qu'il n'est pas permis de fumer dans la salle.
May I request a little more quiet, please?
Je souhaiterais un peu de silence s'il vous plait.
Ladies and Gentlemen, if you please!
Ladies and Gentlemen, please!
Mesdames et Messieurs s'il vous plait!

Could I have your (undivided) attention for a minute, please?
Pourriez-vous m'accorder tout votre attention pendant une minute?
I need everybody's attention.
Je requiers l'attention de tous.
Everybody listen to me for a couple of seconds, please!
Tout le monde m'écoute pendant quelques secondes, s'il vous plait!
Listen carefully! I'm not going to repeat this (a second time)/say this again.
Écoutez bien! Je ne le répèterai pas deux fois.

Look here! Dites donc!

Look out! Attention!
Watch out there! Attention là-bas!
Look and listen! Regardez et écoutez!
Look carefully at the picture (now)!
Regardez attentivement le dessin (maintenant)!

Hey! You! Hep là-bas!
You over there! Vous là-bas!
You, girl, at the back of the room!
Vous, jeune fille, au fond de la salle!

I say! Are you really listening to me or just pretending?
Dis donc! Tu m'écoutes ou tu fais semblant?
Last orders, please! *(pub)* Bientôt l'heure/la fermeture!
Time Gentlemen, please! *(GB) (pub)*
Messieurs. On va fermer! C'est l'heure!

Your attention, please. *(announcement in a public place)*
Votre attention s'il vous plait.

Calling all passengers on flight BA 315. *(announcement in an airport)*
Appel à tous les passagers du vol BA 315.
Silence, please! I've got something important to say.
Silence, s'il vous plaît. J'ai quelque chose d'important à dire.
Can I have a bit of quiet/hush, please?
Puis-je avoir un peu de silence s'il vous plait?
Simmer down everyone! Tout le monde se calme!
Heads up everyone! Tout le monde regarde dans ma direction, s'il vous plaît!

Put a lid on it! *(US)*
Pipe down!
Button it up!
Du calme!/On se tait!

2

Breaking news

(annonce d'une nouvelle)

Sally and Rupert are proud to announce the birth of their son Jeremy. *(newspaper announcement)*
Sally et Rupert sont fiers de vous annoncer la naissance de leur fils Jeremy.
We are happy to inform you that you have been appointed Personnel Manager.
Nous sommes heureux de vous informer que vous avez été nommé Chef du Personnel.
We regret to inform you that we are unable to offer you an interview for the post of Company Accountant.
Nous sommes au regret de vous apprendre que nous ne pourrons pas vous accorder un entretien pour le poste de chef comptable.
Ladies and Gentlemen, we have pleasure in announcing the opening of our new shop.
Mesdames et Messieurs, nous avons le plaisir de vous annoncer l'ouverture de notre nouveau magasin.

You'll never believe what I heard through the gravepine : He's to be made a Knight of the Garter!
Vous ne devinerez jamais ce que mon petit doigt m'a dit. On va lui donner l'Ordre de la Jarretière.
Extra! Extra! Read all about it! *(special newspaper edition)*
Sensationnel! Vous saurez tout sur...
Here is the news. *(radio and television)*
Voici les informations.
We are now interrupting our regular programme for a news flash/special news bulletin. *(radio and television)*
Nous interrompons nos émissions pour un flash d'informations.
Have you heard? They're thinking of replacing books with/by cassettes.
Vous savez la nouvelle? Il est question de remplacer les livres par des cassettes.

Heard the latest? Glenda's got engaged!
Tu sais la dernière? Glenda s'est fiancée!
How about this then? She got first prize in the beauty contest!
Tu sais quoi? Elle a remporté le premier prix au concours de beauté!

Good/great news, chaps! The teacher's ill!
Bonne nouvelle les gars! Le professeur est malade!
Bad news – he's going to teach after all!
Sale nouvelle! Il fera quand même cours!

Guess what? There's nothing left to eat in the fridge!
Devine quoi? Y'a plus rien à manger dans le frigo!

PROVERB

No news is good news.
Pas de nouvelles, bonnes nouvelles!

3

Intervening

(interventions)

May I be so bold as to intervene?
Puis-je me permettre d'intervenir?
May I join in the conversation?
Puis-je me joindre à la conversation?
I hope you won't mind my joining/object to my joining in the debate.
J'espère que vous ne voyez pas d'inconvénient à ce que je me joigne au débat.
I don't want to interrupt your conversation, but what are you talking about?
Je ne voudrais pas vous interrompre mais de quoi parlez-vous?
Sorry to interrupt, but what are you discussing?
Désolé(e) de vous interrompre mais de quoi discutiez-vous?
Excuse/Forgive me for interrupting, but what's this all about?
Excusez-moi d'interrompre, mais de quoi s'agit-il?
What exactly were you talking about just now?
Vous parliez de quoi au juste?
Sorry to interrupt you, but I cannot let certain things go unsaid.
Excusez-moi de vous interrompre mais je ne peux pas laisser passer sous silence certaines choses.
Sorry to butt in, but I feel (duty) bound to reply.
Désolé(e) de me mêler à la conversation, mais je me sens obligé(e) de répondre.
Can I say something too? / **May I (just) add something?** — Puis-je ajouter également un mot?

What's up? / **What's the news?** / **What's the word?** — Quoi de neuf?
What's cooking? Qu'est-ce qui se passe/prépare?

I have the right to speak too!
J'ai droit à la parole moi aussi!
Excuse me, but it's my turn to speak now.
Excusez-moi, mais c'est à moi de parler maintenant.
Your turn! A votre tour!
Over to you! C'est à vous!
One (person) at a time, please! Chacun son tour!
I'd like to have my say (if you don't mind).
J'aimerais dire ce que je pense, si ça ne vous fait rien.
It's all yours now.
Vous avez la parole à vous seul maintenant./La parole est toute à vous maintenant.

Can I get a word in edgeways? Je peux placer un mot?

I'd like to put my two bits in. *(US)* / **May I put my oar in?** — Je peux dire mon mot moi aussi?
What's all this racket about? C'est quoi tout ce raffût?
Why are you raising (all) hell over this?
Pourquoi tout ce tintouin?

What's going on here? Qu'est-ce qui se passe ici?
What's this fuss about? Pourquoi toute cette agitation?

What's the reason for all this hullaballoo?
A quoi ça rime tout ce vacarme/charivari?

4

Asking for information

(demande de renseignements)

➡ IDENTIFYING (identification)

Your name, please. Votre nom, s'il vous plaît.
What are you called? Comment vous appelez-vous?
What's your address? Quelle est votre adresse?
What's your age? Quel est votre âge?
What's your profession? Quelle est votre profession?

What's your name? Quel est votre nom?
Where do you live? Où habitez-vous?
How old are you? Quel âge avez-vous?
Where can I reach you/get in touch with you?
Où puis-je vous joindre?
Is that your home number or your business number?
S'agit-il de votre numéro personnel ou professionnel?
Do you work? Vous travaillez?
What's your line?
What line (of business) are you in? | Dans quelle branche êtes-vous?
What do you do? Que faites-vous (dans la vie)?
What do you do for a living? Vous vivez de quoi?
How long have you worked there?
Depuis combien de temps travaillez-vous ici?
How long have you worked with that firm?
Depuis combien de temps travaillez-vous dans cette entreprise?
How long have you been in that job?
Depuis combien de temps avez-vous cet emploi?
Can I have your employer's name and address, please?
Puis-je avoir les nom et adresse de votre employeur, s'il vous plait?
Do you have a full-time job?
Avez-vous un travail à plein temps?
Do you have a part-time job?
Travaillez-vous à temps partiel?
How long does it take you to get to your office?
Combien de temps mettez-vous pour aller à votre bureau?
Do you travel by car? Vous prenez votre voiture?
Do you take part in a car pool? *(US)*
Vous partagez la voiture avec des amis pour vous rendre à votre travail?

Are you a commuter?/Do you commute? *(implying a job in the city)* Vous habitez en banlieue?
How often do you commute? Tous les combien faites-vous ce trajet?
How far is your office from your home?
A quelle distance votre bureau est-il de chez vous?
When did you decide to move here?
Quand avez-vous décidé de venir ici?
How long ago did you decide to move here?
Il y a combien de temps que vous avez décidé de venir ici?
Why? Pourquoi?
What for? Pour quelle raison?
Why did you choose this corner of the world/this place?
Pourquoi avez-vous choisi ce coin/cet endroit?
Are you married? Etes-vous marié?
Are you single? Etes-vous célibataire?
Are you widowed? Etes-vous veuf(ve)?
Are you a widow/widower? Etes-vous veuve/veuf?
Are you separated/divorced? Etes-vous séparé(e)/divorcé(e)?
Who are you living with at the moment?
Avec qui vivez-vous actuellement?
Who sent you here? Qui vous a envoyé ici?
What are your hobbies/interests?
Quels sont vos passe-temps favoris/vos centres d'intérêt?
Whose name is the flat/apartment *(US)* **in?**
Au nom de qui est l'appartement?

➡ ASKING FOR INFORMATION
(demande de renseignements)

Could one of you tell/show me the way to the station?
L'un d'entre vous pourrait-il m'indiquer le chemin de la gare?
Does anyone happen to know where the British Museum is?
Quelqu'un sait-il où se trouve le British Museum par hasard?
I'd like to know if there is a direct tube to Earl's Court.
Je voudrais savoir s'il y a un métro direct pour Earl's Court.
I want to go to Mornington Crescent. Do I have to change anywhere (on the way)?
Pour me rendre à Mornington Crescent, dois-je changer quelque part?
Excuse me, but does the 124 stop here?
Excusez-moi, mais est-ce que le 124 s'arrête ici?
Can someone/anyone give me the time, please?
Quelqu'un peut-il me donner l'heure?/Est-ce que quelqu'un peut me donner l'heure?
Do you by any chance know if the Wallace Collection is open?
Savez-vous par hasard si la Collection Wallace est ouverte?
Where's the nearest tube station *(GB)*/**subway** *(US)*, **please?**
Où est la station de métro la plus proche, s'il vous plait?
Where's the nearest bus-stop?
Où est l'arrêt d'autobus le plus proche, s'il vous plaît?
Where's the nearest taxi-rank *(GB)*/**taxi-station** *(US)*?
Où est la station de taxi la plus proche?

➡ ENQUIRING ABOUT SOMETHING
(enquête descriptive d'un objet)

Well, what was your present?
Eh bien qu'est-ce que c'était/c'était quoi votre cadeau?
What's it like? Il est comment?
What's it made of/from? En quoi est-il?
What shape is it? Quelle forme a-t-il?
What size is it? Quelle taille? Quelle grosseur?
What colour is it? De quelle couleur est-il?
How big is it? Il est gros comment?
How small is it? Il est petit?/Petit comment?
How long is it? Quelle longueur fait-il?/Il est long comment?
How short is it? Il est court?/Quelle taille?
How wide is it? Quelle largeur a-t-il?/fait-il?
How narrow is it? Il est étroit?/Étroit comment?
How tall/high is it? Quelle taille/hauteur a-t-il?/fait-il?
How deep is it? Quelle profondeur?
How heavy is it? Il est lourd?/Quel poids?
What does it weigh?
How much does it weigh? | Combien pèse-t-il?
How does it work? Comment ça marche?
What is it for, exactly? Ça sert à quoi exactement?
Is it handy at least? C'est pratique au moins?
What's the price of it? Quel est son prix?

How much did that little wonder cost?
Combien à coûté cette petite merveille?
What on earth/What the devil/What in Heaven's name is it?
C'est quoi, bon sang?

☐ **What the fuck is it?** Qu'est-ce que c'est, b...?

5

Ignorance

(ignorance)

Who won the match? Qui a gagné le match?

- **(Sorry), I can't tell you.**
  Désolé(e). Je suis incapable de vous le dire.
- **Can't help you there, I'm afraid.**
  J'ai bien peur de ne vous être d'aucun secours dans ce domaine.
- **No idea!** Aucune idée.
- **I haven't the faintest idea!**
- **I haven't the slightest idea!**
- **I haven't the foggiest (idea)!**

Je n'en ai pas la moindre idée!

- **I haven't the ghost of an idea.** Je n'en sais rien du tout./Pas l'ombre d'une idée.
- **How (on earth) should I know? I don't know a thing about sport.** Comment (diantre) le saurais-je? Je ne connais rien au sport.

- **Search me!** Aucune idée!
- **Beats me!** Ça me dépasse!
- **What do I look like, buddy, an expert?** *(US)*
  Comme si j'avais l'air d'un spécialiste!

PROVERBS

Where ignorance is bliss, 'tis folly to be wise.
Au royaume des imbéciles, il serait fou d'être sage.

What you don't know can't hurt you.
What the eye doesn't see, the heart doesn't grieve (for).

On ne saurait souffrir de ce qu'on ignore.

6

Doubt and uncertainty

(doute et incertitude)

I wouldn't like to decide one way or the other.
Je ne voudrais pas avoir à me prononcer.

I wouldn't advance/put forward any theory, but...
Je n'avance aucune hypothèse, mais...

He could/might well be guilty.
Il se pourrait bien qu'il soit coupable.

I wouldn't be so bold as to claim that he is guilty.
Je ne me permettrais pas d'affirmer qu'il est coupable.

I wouldn't go so far as to say/as far as saying he killed the man.
Je n'irais pas jusqu'à dire qu'il a tué cet homme.
There's no real evidence either way.
Il n'y a pas vraiment de preuve ni dans un sens ni dans l'autre.
It's extremely difficult to say whether he killed his wife **or not.**
Il est extrêmement difficile de dire si oui ou non il a tué sa femme.
Although... when you come to think of it.
Bien que... à bien y réfléchir...
He may (quite) well be innocent.
Il se peut bien qu'il soit innocent.
And then again, he may (well) not.
Comme il se peut qu'il le soit pas.
Actually, I can't be sure/certain.
A vrai dire je n'ai aucune certitude à ce sujet.
I have a feeling he's lying. J'ai l'impression qu'il ment.
I have a hunch that he is lying. *(US)*
Mon impression est qu'il ment.
Maybe/perhaps he's telling the truth.
Peut-être qu'il dit la vérité.
Who knows? Qui sait?
Why not, after all? Pourquoi pas après tout?
You never know, with that sort of person.
On ne sait jamais, avec ce genre d'individu.
But I still can't bring myself to believe he did it.
Et pourtant, je n'arrive pas à croire qu'il l'ait fait.
In short/In a word, **I'm still wondering.**
Bref, je me pose encore la question.
It (really) is anyone's guess.
Toutes les hypothèses sont permises.

At first sight, everything seems to be in order, **but there's more to it than meets the eye.**
A première vue, tout semble clair, mais à y regarder de plus près...
Unless we've been misled (somewhere along the line).
A moins qu'on nous ait égarés à un moment donné.
Who can say/tell? Qui peut le dire?

Beats me! Ça me dépasse.

You never can tell.
You never know.
On ne sait jamais.
There's no saying/telling what he'll be up to next.
On ne sait jamais ce qu'il nous réserve encore.

My gut feeling is that he's dishonest.
Je sens qu'il est malhonnête.

PROVERBS

When in doubt, do nowt. *(GB) (nowt = nothing)*
Dans le doute abstiens-toi.
Better safe than sorry. Mieux vaut ne pas tenter le diable.

7

Conviction
(conviction)

I was led to believe that he had no one else in the world. Tout me portait à croire qu'il n'avait personne d'autre au monde.
He was undoubtedly scared. Il devait avoir très peur.
He must have been caught unawares/off his guard. Il a dû se laisser surprendre.
He can't possibly have acted in cold blood. Il n'a pas dû agir de sang froid.
It's unbelievable that he should have kept so cool. Il est impensable qu'il ait gardé la tête si froide.
I, for one, have never doubted it. Moi, je n'en ai jamais douté.
I could swear he didn't do it. Je jurerais qu'il ne l'a pas fait.
I'd stake my life on his innocence. Il est innocent. J'en mettrais ma tête à couper.
I'm thoroughly convinced of his innocence. Je suis profondément convaincu(e) de son innocence.
Nothing can make me change my mind. Rien ne me fera changer d'avis.
I could have sworn the jury would acquit him. J'aurais juré que le jury l'acquitterait.
I'm sure. J'en suis sûr(e).
I'm absolutely sure. J'en suis absolument sûr(e).
I'm 100 % sure. J'en suis archi-sûr(e).
Definitely! Absolument!
I'm dead sure. J'en suis plus que sûr(e).
I'd bet my bottom dollar on it. *(US)* Je parie tout ce que vous voulez.

You bet! *(US)* Tu parles!
Sure! For sure! *(US)* Évidemment!
You got it! *(US)* Bien vu!
You know it! *(US)* Tu le sais bien!

8 Certainty

(certitude)

Obviously, the man's hoodwinked us!
De toute évidence, cet homme nous a dupés.
There's not the slightest doubt left as to his dishonesty.
Il ne plane aucun doute sur sa malhonnêteté.
It goes without saying that it is all his fault.
Il va sans dire que tout est de sa faute.
There's not the shadow of a doubt about that.
Il n'y a pas l'ombre d'un doute là-dessus.
It's self-evident. C'est l'évidence même.
How could we have doubted it for a minute?
Comment aurions-nous pu en douter une minute?
We know from a reliable source that he's a crook.
Nous savons de source sûre que c'est un escroc.
The truth was staring us in the face (all the time).
La vérité nous crevait les yeux.
It was as plain as plain can/could be.
Cela sautait aux yeux.
It was as plain as the nose on my face.
C'était évident comme le nez au milieu du visage.
It was crystal clear. C'était clair comme de l'eau de roche.
It was obvious (right from the start).
C'était évident (depuis le départ).
Of course! Bien sûr!
That's (for) certain/sure! C'est sûr/certain!
That goes without saying. Tout ça va sans dire.
It stands to reason. Cela va de soi.

No wonder! **Little wonder!**	Ça ne m'étonne pas/guère!

As sure as eggs is eggs. *(US)* **As sure as night follows day.** **As sure as the day is long.** **As sure as two and two make four.**	Aussi sûr que deux et deux font quatre.

You bet! **You betcha!** *(US)*	Tu parles!

It's a dead cert! *(GB)* C'est sûr et certain!

Does a bear shit in the woods? *(US, Hum.)*
Est-ce que ça se demande?

9

Imprecision

(imprécision)

I saw him about three days ago.
Je l'ai vu il y a environ trois jours.
I saw him something like three days ago.
Ça fait quelque chose comme trois jours que je l'ai vu.
He's an oldish person. Il n'est plus tout jeune.
He's an elderly man. C'est un homme d'un certain âge.
He's neither old, nor young... somewhere in between.
Il n'est ni vieux ni jeune... entre les deux.
He must be pushing fifty. Il doit friser la cinquantaine.
He must be somewhere around fifty.
He must be in his fifties. | Il doit avoir la cinquantaine.
Let's say he's fifty-odd. Disons cinquante et quelques/et des poussières.
I think he's on the wrong side of sixty.
Je crois qu'il a passé la soixantaine.
He looks nearer sixty than fifty.
Il semble plus près de soixante que de cinquante ans.
I don't think he'll see fifty again.
Je crois que ses cinquante ans sont derrière lui.
He's more or less our age. Il a plus ou moins notre âge.
He's about the same age as my father.
He's about ages with my father. | Il a sensiblement le même âge que mon père.
At a rough guess, I'd say he's about my age.
A vue de nez je dirais qu'il a à peu près mon âge.
Roughly speaking, I'd say he's around my age.
Grosso modo je dirais qu'il a à peu près mon âge.
To hazard a guess, I'd say he's somewhere around my age.
Si je devais me prononcer, je dirais qu'il a à peu près mon âge.
His pension should be something like £ 50 a week.
Sa pension devrait aller chercher dans les cinquante livres par semaine.
More like £ 60, I'd say. Disons plutôt soixante.
All in all, he ought to manage to make ends meet.
L'un dans l'autre, il devrait arriver à joindre les deux bouts.
I think he also gets some kind of extra benefit.
Je crois qu'il perçoit un petit quelque chose en plus.
He's almost sure to get by on that.
Il devrait s'en tirer selon moi.
That's only guesswork (on my part), of course.
Je dis ça au pif bien entendu.
It's just a wild guess but...
Ce n'est qu'une supposition un peu folle mais...

10

Listing, deducing and summing up

(argumentation)

LISTING (énumération)

First...
Firstly... | Premièrement...
First of all/First and foremost/In the first place, this is a fine work.
En tout premier lieu/Tout d'abord, c'est un bel ouvrage.
For a start...
To start with... | Pour commencer...
Second/Secondly, it's well-written.
Deuxièmement/En second lieu, il est bien écrit.
Then/Next, it is beautifully presented.
Et puis il est très bien présenté.
Also, it's meaningful.
Il est également plein de signification.
What is more, it's not all that pricey.
Qui plus est, il n'est pas très coûteux.
Furthermore, the author is a household name in Britain.
De surcroît, l'auteur est connu de tous en Grande-Bretagne.
Besides/Moreover/In addition/Additionally, everybody's talking about it at the moment.
Par ailleurs/De plus/A côté de ça, tout le monde en parle en ce moment.
Last/Lastly/Finally, it's a book that I like enormously.
Enfin/Finalement, c'est un livre que j'aime énormément.
And on top of that/And to top it all/And to cap it all, it was a present, so...
Et en plus de tout ça, c'était un cadeau, alors...

DEDUCING (déductions)

Everything seems to point to a mistake on their part.
Tout semble indiquer une erreur de leur part.

> **Everything would seem to indicate that** they are in the wrong.
> Tout semblerait indiquer qu'ils ont tort.
> **I am led to believe that** you were in the bank at the time.
> J'en viens à penser que vous étiez dans la banque à ce moment là.

I've come to the conclusion that **we've got to dig deeper.**
J'en suis arrivé(e) à la conclusion que nous devons creuser davantage.
I've reached the conclusion that **we must be more cautious in the future.**
Ma conclusion est qu'à l'avenir nous devrons être plus prudents.
All this naturally leads to/calls for **more care and attention.**
Tout ceci nous amène tout naturellement à plus de vigilance.

We must draw a lesson from **our past failures.**
Nous devons tirer leçon de nos échecs passés.
We've been brought to think that **we must change our tactics.**
Nous avons été amenés à penser que nous devons changer de tactique.

We've come to realise that **we must change our tack.**
Nous en sommes venus à comprendre qu'il nous fallait changer de tactique.
Therefore/Thus/So/And so, **everything has to be reconsidered.**
Par conséquent/Ainsi/Donc/Alors tout doit être remis en question.

This being so, **I have no choice but to tender my resignation.**
Les choses étant ce qu'elles sont, je n'ai d'autre choix que d'envoyer ma démission.

As a result, **I shall resign my position as Chairman.**
En conséquence de quoi je vais démissionner de mon poste de Directeur général.
All things considered, **this hasn't been too bad a year.**
Tout bien considéré, l'année n'a pas été trop mauvaise.
To cut *(GB)***/make** *(US)* **a long story short,** **we're going under.**
En un mot comme en cent, nous allons à la faillite.
That's the long and the short of it.
En deux mots, c'est ça.
What it boils down to is – **we're on the verge of bankruptcy.**
Ce qui revient à dire que nous sommes au bord de la faillite.
Since that's the lie of the land, **we've no alternative.**
Puisqu'il en est ainsi, nous n'avons pas le choix.
If push comes to shove, **here's the only solution.** *(US)*
S'il faut en arriver là voici la seule solution.

➡ CONCLUDING (conclusions)

To conclude... Pour conclure...
As a conclusion...
By way of concluding...
By way of conclusion...
En conclusion.../En guise de conclusion...

And finally... Finalement...
In short... En bref...

In a word... En un mot...
In a few words...
In a nutshell... | En quelques mots.../En peu de mots...
To stick to the (hard/bare) facts...
Pour s'en tenir aux faits...
The gist of the matter is this : we've goofed.
Le cœur du problème est le suivant : on a fait une c...erie.
And the result/upshot of all this is...
Il résulte de tout ceci...
And what it all comes down to/boils down to is this : we'll have lots of unemployed.
Ce qui revient à dire ceci : on va avoir des tas de chômeurs.
And at the end of the day... *(GB)*
En fin de compte...
And when all is said and done, the firm will be sold out.
Et en fin de compte, la firme va être bradée.
I'll wind up by saying that... J'en terminerai par...
Here are the (real) brass-tacks of the matter.
Voici à quoi se résument les faits.
To cut a long story short... Pour abréger...

11

Stressing one's point

(tournures d'insistance)

Allow me to insist on this aspect of the matter.
Permettez-moi d'insister sur cet aspect du problème.
And on the very significance of it.
Et sur sa signification même.

We can't stress this point (strongly) enough.
On ne saurait trop porter l'accent sur ce point.
Whether you like it or not, it's absolutely essential.
Que cela vous plaise ou non, c'est absolument essentiel.
This is well and truly a revelation to us!
C'est bel et bien une révélation pour nous!
Oddly/Strangely/Curiously enough, they wouldn't believe it.
Curieusement, ils ne voulaient pas y croire.
The strange thing is, you didn't believe it either.
Ce qui est bizarre, c'est que tu n'y croyais pas non plus.
Look here! The truth is staring you in the face!
Voyons! La vérité crève les yeux.
There's no getting away from/no escaping the fact they hold the trump cards.
Il n'y a pas à sortir de là : les atouts sont dans leurs mains.
It's the one and only version.
C'est la seule et unique version.
Come now, it stands to reason!
Allons! C'est l'évidence même.
It goes without saying that I've done all the checking.
Il va sans dire que j'ai tout vérifié.
You do trust me, don't you?
Tu me crois sur parole, n'est-ce pas?
We're old friends, aren't we?
Nous sommes de vieux amis, pas vrai?
What on earth/What the devil/What in Heaven's name do I have to say to convince you?
Que diable puis-je dire pour te convaincre?
It's always the same old story with you over and over again.
C'est encore et toujours la même histoire avec toi.
These things are well beyond your grasp.
Ces choses te passent largement au-dessus de la tête.
I do feel that you are out of your depth here.
Je sens bien que cela vous dépasse.
I know them inside out. Moi je les connais de A à Z.
We must try at all costs.
Nous devons essayer à tout prix.

We must try no matter what.
Nous devons essayer advienne que pourra.

Come what may, we've got to try.
Quoiqu'il advienne, il nous faut essayer.

Believe me, we've got to do something.
Crois-moi il faut que nous fassions quelque chose!
Mark my words! Note bien ce que je te dis!
You mark my words!
Vous verrez ce que je vous dis!

For God's/For Christ's/For Heaven's sake, what are you driving at?
Pour l'amour du Ciel, où veux-tu en venir?
You never stop twittering on and on and on...
Tu n'arrêtes pas de jacasser à longueur de temps.
Stop jabbering, will you?
Arrête de jacasser tu veux?
That shut you up, and how!
Ça t'a cloué le bec ça! Et comment!

12

Onomatopœia

(onomatopées)

And crash! So much for my poor furniture!
Et vlan! Mes pauvres meubles!
Crash! Down it went with a wallop!
Patatra! C'est tombé avec un de ces boucans!
And smash/bang! Straight into the garage door.
Et bing! En plein dans la porte du garage!
And splash! Head first into the water!
Et plouf! A l'eau la tête la première!
Beep beep! Coming through! Tu tut! Place! J'arrive!
Umph... I don't care. Bof... Je m'en fous.
Brrr...it's cold/freezing! Aglagla...on gêle ici!

Coo/Cor! That's really something!
Mazette!/Ouaou! Ça c'est quelque chose!

Cooee! It's us! Eh oh! C'est nous!
Peek-a-boo! I see you! Coucou! Je te vois!
Ho! And about time too/And not before time, either/And high time too!
Ouf! C'est pas trop tôt!
Boo! Shame on you! Hou! T'as pas honte?
Ouch!/Ow! That hurts! Aïe!/Ouille! Ça fait mal!
Wow! Great! Ouais! Super!
Tut! Tut! None of that tale-telling now!
Taratata! Trêve de boniments!
Ooh! You're going to get it. Oh là là! Ça va être ta fête!
Phew! That was a close-run thing!
Ouf! On l'a échappée belle!
Bang!/Boom! Another explosion!
Pan! Boum! Une autre explosion!
Ugh!/Yuk! What a mess! Beurk! Quelle horreur! Quel gâchis!
Sssh! Be quiet! Chut! Tais-toi!

13

Analysing

(causes et conséquences)

➡ CAUSALITY (causalité)

At whose doorstep can we lay the responsibility?
A qui peut-on faire endosser la responsabilité?
Who's at the origin of these scurrilous reports?
Qui est à l'origine de ces propos injurieux?
What's the root cause of our present plight?
Quelle est la vraie racine de tous nos ennuis actuels?
Who initiated the scandal?
Qui est à l'origine du scandale?

You can be sure that you'll be blamed for the tragic outcome.
L'issue tragique de cette affaire vous sera imputée soyez-en sûr(e).
How did it all come about?
Comment tout cela est-il arrivé?
What sparked/triggered it off?
Qui est-ce qui a mis le feu aux poudres?
You seem to be mixed up in this shady business.
Vous me semblez mêlé(e) à cette sombre affaire.
How come/How is it that we hear about all this now?
Comment se fait-il que cette affaire éclate au grand jour maintenant?
What was the real cause of the crash?
Quelle était la cause réelle de l'accident?
Who caused so much damage?
Qui a causé tant de dégâts?
Why the silence? Pourquoi ce silence?
We've got to get to the bottom of this.
Il nous faut remonter à la source.
We'll have to fathom it out.
Il nous faudra aller au fond des choses.
All our problems stem from that.
Tous nos ennuis viennent de là.
It's because they keep things from us that we must find out the truth.
C'est parce qu'on nous tait certaines choses qu'il nous faut découvrir la vérité.
Who set the ball rolling?
Qui a déclenché le mouvement/le branle-bas?
Whose doing is all this?
Qui est le responsable de tout ça?
What does he have up his sleeve?
Qu'est-ce qu'il nous réserve?

➡ DEDUCING (déductions)

Taking our cue from certain revelations...
Nous prévalant de certaines révélations...

Taking past events **into consideration...**
Eu égard aux événements passés...
Due to/On account of the circumstances...
Étant donné les circonstances...
And following a thorough enquiry...
Et à la suite d'une enquête poussée...
We are finally in a position to reveal the ins and outs of the affair.
Nous sommes enfin à même de pouvoir révéler les dessous de l'affaire.

Judging by your reaction...
To judge by your reaction...
Going by your reaction...
To go by your reaction...
Given your reaction...
Si j'en juge par votre réaction...

And since you're 'au fait'...
Et puisque vous êtes au courant...
And, lastly, in so far as/in as far as/in as much as you knew those people...
Enfin, dans la mesure où vous connaissiez ces gens...

And thanks to your connections...
Et grâce à vos relations...
And also because of other testimonies, this won't take long.
Et aussi à cause des autres témoignages, ce ne sera pas long.

Given/Seeing the lateness of the hour, I won't keep you long.
Étant donné l'heure tardive, je ne vous retiendrai pas longtemps.

That's (the reason) why I'll be brief.
C'est pourquoi je serai bref.
Therefore it won't be long before you can leave.
En conséquence de quoi vous partirez bientôt.
As a result/Consequently, your wife will be pleased.
Par conséquent, votre femme sera contente.
So, she won't suspect anything.
Donc elle ne soupçonnera rien.
And that way, everything will turn out fine.
Et ainsi tout ira bien.
If push comes to shove, *(US)*/**If the worst comes to the worst,** you'll have to give in.
S'il faut en passer par là, vous devrez céder.
But when all is said and done, you'll still have to come back.
Ceci dit, il vous faudra quand même revenir.

Because, by dint of oversimplifying things...
Parce que, à force de simplifier les choses à l'extrême...

And out of sheer laziness... Et cela par pure paresse...

The facts become distorted, hence the mistakes.
On déforme les faits, d'où les erreurs.

The result/outcome/upshot is that everything will have to be done again.
Le résultat, c'est qu'il faut recommencer.
For, as they say, more haste, less speed, and, consequently, a botched-up job.
Car, qui dit vitesse dit négligence et, par voie de conséquence, travail bâclé.
Q.E.D. *(quod erat demonstrandum)* C.Q.F.D.

14

Comparing

(similitudes, différences)

➡ SIMILARITIES (similitudes)

He is like his father. Il ressemble à son père.

He and his son are so alike that you'd take one for the other.
Le père et le fils se ressemblent au point de s'y méprendre.

They're alike in every way.
Ils sont en tous points semblables.

Same build, same height, same walk,...
Même corpulence, même taille, même démarche.

The one is as tall as the other.
Ils sont aussi grands l'un que l'autre.

He's the absolute image of his father.
C'est tout le portrait de son père.

Like father, like son. Tel père, tel fils.

They're like two peas in a pod.
Ils se ressemblent comme deux gouttes d'eau.

I thought I saw your double walking down the street.
J'ai cru voir votre sosie dans la rue.

You'd take them for twins.
On les prendrait pour des jumeaux.

Those two are as thick as thieves.
Ces deux-là, ils font la paire/s'entendent comme larrons en foire.

The one is every bit as bad as the other.
Pas un pour racheter l'autre.

The one is no better than the other.
Ils ne valent pas plus cher l'un que l'autre.

He's the spitten *(GB)***/spitting image of his brother.**
C'est le portrait tout craché de son frère.

It's six of one and half a dozen of the other.
C'est bonnet blanc et blanc bonnet.

It's (all) much of a muchness.
C'est du pareil au même/kif-kif!

PROVERB

Birds of a feather flock together.
Qui se ressemble s'assemble.

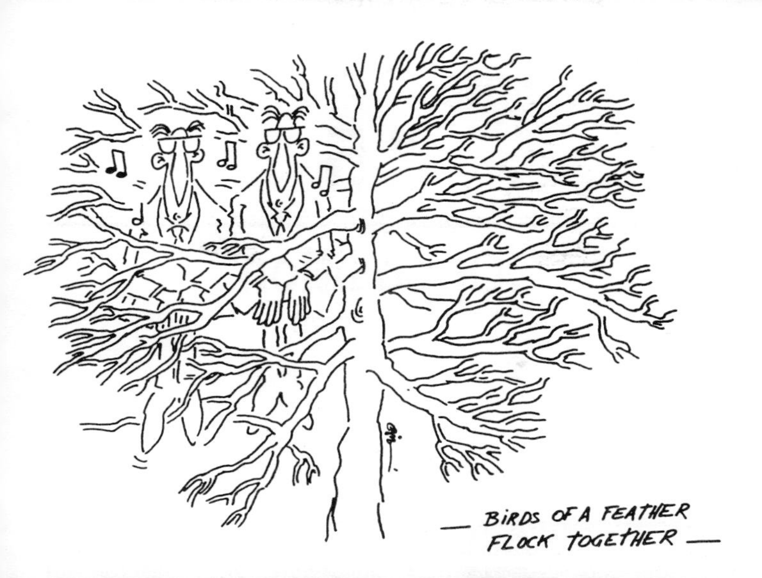
— BIRDS OF A FEATHER
FLOCK TOGETHER —

➡ DIFFERENCES (différences)

Our tastes differ in every respect.
Nos goûts diffèrent du tout au tout.
Our views are poles apart.
Nos vues sont totalement divergentes.

We are worlds apart.
Nous sommes aux antipodes l'un de l'autre.
Their views invariably clash head on.
Ils ne sont jamais d'accord.
They're infinitely more cultured than us.
Ils sont bien plus cultivés que nous.
And far less pessimistic than us.
Et bien moins pessimistes.
Unlike us, they don't travel all that much.
Contrairement à nous, ils ne voyagent pas autant.
We have very little in common with them.
Nous avons peu de choses en commun avec eux.
Our characters are as different as chalk and cheese. *(GB)*
Nos natures sont à l'opposé l'une de l'autre.
Their views are diametrically opposed.
Leurs points de vue sont diamétralement opposés.

When one says black, the other says white. **They can never see eye to eye on anything.**	On n'arrive jamais à s'entendre sur quoi que ce soit.

They're as different as night is from day.
C'est le jour et la nuit.

They're not at all alike. **They're not alike in the slightest.**	Pas la moindre ressemblance.

They go together like oil and water.
Ils vont ensemble comme l'eau et le feu.
Their house is nothing like ours.
Leur maison n'a rien à voir avec la nôtre.

15

Opposition

(opposition)

➡ CONTRADICTION AND PARADOX

(contradictions et paradoxes)

You wouldn't say so from looking at her but...
A la voir on ne le dirait pas mais...
Unexpectedly, she's a big hit.
Contre toute attente, elle a un succès fou.
However skinny she may be, she charms her audiences.
Malgré sa maigreur, elle séduit les foules.
Although she is no oil painting, girls copy her look.
Bien qu'elle ne soit pas la beauté même, les jeunes filles la copient.
Strange as/though it may seem, she hasn't turned twenty.
Aussi surprenant que cela puisse paraître, elle n'a pas vingt ans.
She's still young, but she's every inch a real trooper.
Elle est encore jeune, mais quelle assurance!
And yet she's self-trained.
Et pourtant elle s'est faite toute seule.
However, she's never lacked encouragement from her family.
Cependant elle n'a jamais manqué d'encouragements de la part des siens.
Mind you, not going to Music College hasn't prevented her from succeeding in life.
Notez bien que le fait de n'avoir pas fait le conservatoire ne l'a pas empêchée de réussir dans la vie.
On the one hand, she's spontaneous, but on the other (hand), just look at that technique!
D'une part elle est spontanée, mais à côté de ça quelle technique!
In spite of appearances, she'll go far.
En dépit des apparences, elle ira loin.
Despite her being so young, she's made it.
Malgré son jeune âge, elle est arrivée.
Contrary to (all) expectation, she's got to n° 1.
Contrairement à toutes les prévisions elle s'est hissée au premier rang.

CONTRAST AND OPPOSITION

(contraste et opposition)

You just do as you please whilst I am forever giving you good advice. *(GB)*
Tu n'en fais qu'à ta tête tandis que je me tue à te donner de bons conseils.
You run about in a sports car, whereas I pant around on my bike.
Tu roules en voiture de sport, alors que je m'essouffle à bicyclette.

Unlike you(rself), my responsibilities are heavy.
Contrairement à toi, j'ai de lourdes responsabilités, moi!
I imagined you to be generous. On the contrary, you're the epitome of selfishness.
Je te croyais généreux; eh bien au contraire, tu es un monstre d'égoïsme.
You spend your time sunbathing, while I'm working myself to death.
Tu te dores au soleil pendant que je m'esquinte au boulot.
In short, the lady has fun, and I'm the mug.
En bref, Madame s'amuse, et moi je suis le dindon de la farce.
As ever, on the one hand the tyranny of the weaker sex and the martyrdom of the male on the other.
Comme toujours, il y a d'un côté la tyrannie du sexe faible et de l'autre le martyre du sexe fort.
Instead of sitting back with your feet up, you'd be/do better lending me a hand.
Au lieu de te prélasser, tu ferais mieux de me donner un coup de main.
I thought you were open-handed. Well, you're exactly the reverse/opposite.
Je croyais que tu étais généreux, eh bien, c'est exactement le contraire/l'inverse!
I thought you'd help us. How wrong I was!
Je croyais que tu nous aiderais. Je me suis bien trompé(e)!
I do like to help people; the other side of the coin is it takes up all my time.
J'aime aider les gens, mais le revers de la médaille c'est que cela prend tout mon temps.

Fact is I'm generous but the flipside is I get taken advantage of.
C'est vrai que je suis généreux mais la contrepartie c'est qu'on profite de moi.

16

Restriction

(restrictions, réserves)

As far as I can see, the contract seems to be in order.
Pour autant que je puisse en juger, le contrat semble correct.

I wouldn't go so far as to say that it's perfect.
Je n'irais pas jusqu'à dire qu'il est parfait.

But unless you change your mind/**lest** you should change your mind...
Mais, à moins que vous ne changiez d'avis.

It suits me **to a certain extent.**
Il me convient dans une certaine mesure.

Apart from/Excepting the conditions of payment...
A part/excepté les conditions de paiement...

I share your views, **up to a point.**
Je partage vos impressions, jusqu'à un certain point.

With the exception of the delivery date...
A l'exception de la date de livraison...

I'd sign on the dotted line right now, **were it not/if it were not for** the small print.
Je signerais des deux mains et tout de suite, s'il n'y avait pas les clauses en petits caractères.

I'll do what I can – **to the best of my ability.**
Je ferai ce que je peux dans la mesure de mes possibilités.

But it's **just/only** a tentative agreement.
Mais il ne s'agit que d'un accord de principe.

It's **nothing more than** a provisional agreement.
Rien de plus qu'un accord provisoire.

Indeed, **little more than** promises.
A vrai dire guère plus que des promesses.

Let's hope that we won't end up with **just fine words!**
Espérons que cela ne se résumera pas à de belles paroles!

We'll keep to the essentials.
We'll keep to the brass tacks.
Nous nous en tiendrons à l'essentiel.

Be content with that, **for want of** something better.
Contentez vous de cela faute de mieux.

Is that all we have? C'est tout ce qu'on a?

It isn't much. Ce n'est pas gras.

Lucky for some. Il n'y a de la chance que pour la canaille.

We'll have to **make do with** what (little) we have.
Il faudra se contenter de ce qu'on a.

We must **make do!** Il faut faire avec!

The thing that's **holding me back from** buying this car is the weak guarantee.
Ce qui me retient d'acheter cette voiture, c'est la précarité de la garantie.

The only snag/drawback in the deal is the price.
Le seul inconvénient, c'est le prix.

PROVERB

Half a loaf is better than no bread. *(approximate translation)* Faute de grives, on mange des merles.

17

Making allowances, pleas for moderation

(concessions, modération)

I admit I may have been a bit snappy.
J'admets avoir été un peu vif(ve) dans mes propos.
Let's say I got carried away.
Mettons que je me sois emporté(e).
I'm afraid I wasn't very objective.
Je crains de ne pas avoir été très objectif(ve).
As ever, we must **take things with a pinch** *(GB)*/**grain** *(US)* **of salt.**
Comme toujours, nous devons en prendre et en laisser.
We should **try to be fair.**
Nous devrions faire la part des choses.
On the one hand, I was upset; **but on the other,** you were too.
D'une part j'étais irrité(e) ; mais d'autre part vous l'étiez aussi.
Let's not (over)dramatise things.
Gardons nous de dramatiser les choses.
We've got to keep our head.
Nous devons garder la tête froide.
We know we have **to make allowances.**
Nous savons que nous devons faire des concessions.
We realise when **not to push things too far.**
Nous savons quand il faut s'arrêter.
We musn't **go to extremes/go over the top.**
Il ne faut pas exagérer.
We've all got to learn **to control our temper(s).**
Nous devons tous apprendre à modérer nos ardeurs.
Sometimes, we've got **to give some leeway.**
Parfois il faut lâcher du lest.
It's all **a matter of give and take.**
Tout ça c'est une question d'arrangement à l'amiable.
Don't ask (for) too much.
Il ne faut pas trop en demander.

Now you're coming/cutting it (a bit thick)!
Là tu pousses le bouchon un peu loin!
You're laying it on a bit thick/with a trowel! *(GB)*
Tu attiges/charries!

Your eyes shouldn't be bigger than your stomach.
Tu as les yeux plus gros que le ventre.

You've bitten off more than you can chew.
Tu as eu les yeux plus gros que le ventre.

Don't go too far!

Don't push your luck (too far)! | Il ne faut pas pousser!

You're really piling it on. Là tu y vas un peu fort!
You're pushing it a bit, aren't you? Faut pas pousser!
Easy does it! Vas-y mollo!
Don't get (all) steamed up/get (all) worked up/get (all) in a tizzy!
Ne te mets pas dans tous tes états.
Don't (go) fly off the handle!
Ne te laisse pas emporter comme ça!
Get a handle on it! Contrôle tes nerfs!
Try not to pop your top! *(US)* Essaie de garder ton calme.
Try not to go off half-cocked!
Essaie de ne pas te laisser embarquer.
Try not to go off the deep end!
Essaie de ne pas t'emballer.
Try not to go overboard!
Try not to chew the scenery! *(US)* | N'en fais pas trop.
Try not to burst a blood vessel!
Ne va pas attraper un coup de sang!

PROVERBS

Too many cooks spoil the broth.
Trop de cuisinières gâtent la sauce.
Don't cross the bridge till you get to it.
Chaque chose en son temps.
Don't count your chickens before they're hatched.
Il ne faut pas vendre la peau de l'ours avant de l'avoir tué.
Grasp all, lose all. Qui trop embrasse, mal étreint.

18

Expressing personal opinions

(opinions personnelles)

It's my opinion that the weather's going to change for the better.
Selon moi le temps devrait s'améliorer.

As far as I can see, the economic situation offers little consolation.
D'après moi, la situation économique n'est pas rassurante.

If I may say so, the Government seem to have got their sums wrong.
Si je peux me permettre, je dirais que le gouvernement s'est trompé dans les comptes.

I have the impression that industry isn't all that buoyant.
J'ai l'impression que l'industrie n'est pas très florissante.

I am under the impression that the worst is still/yet to come.
Tout me porte à penser que le pire reste à venir.

To put it bluntly, I couldn't care less!
Pour parler franc, je m'en fiche complètement!

It's only my personal opinion.
Cette opinion n'engage que moi.

If you ask me, there are more serious problems than the one you're talking about.
Si vous voulez mon avis, il y a des problèmes plus graves que celui dont vous parlez.

It seems to me that unemployment is one.
Il me semble que le chômage en est un.

I think that is the main problem.
Je pense que c'est le problème numéro un.

And there, **I'm speaking my mind.**
Et je le dis tout haut comme je le pense.

But then, **that's** only **what I think.**
Mais c'est ce que j'en pense moi, un point c'est tout.

Everyone is allowed their say here!
Tout le monde a son mot à dire ici!

I reckon that fresh elections aren't going to be much of a solution.
M'est avis que de nouvelles élections ne vont pas arranger grand-chose.

I believe they will!
Je suis convaincu(e) que si!

I feel you're kidding yourself.
J'ai dans l'idée que vous vous faites des illusions.

I'd say that you don't know much about all this.
J'ai comme l'impression que tu n'y connais pas grand-chose.

If you want to know what I think : it would be better to leave well (enough) alone.
Si tu veux le fond de ma pensée : le mieux est l'ennemi du bien.
In my opinion/humble opinion, he's never going to make it.
Selon moi/à mon humble avis il n'y arrivera pas.
To my mind, he's the best chap for the job.
A mon avis, c'est ce gars qui convient le mieux pour le job.
I'm convinced that they told the truth.
Je suis convaincu(e) qu'ils ont dit la vérité.
This is how I see things...
C'est la façon dont je vois les choses...
As I see things, there's nothing we can do for the moment.
Selon moi, on ne peut rien faire pour le moment.
In my estimation, she's the tops!
D'après moi, c'est la meilleure de toutes!
I (would) contend that this agreement should never have been signed.
J'ose affirmer que cet accord n'aurait jamais dû être signé.
It is my contention that Space Research is money well-spent.
Je prétends que la recherche spatiale est un bon investissement.
To my eyes, there is nothing wrong with their present policy.
Je ne vois rien à redire à leur politique actuelle.

19

Agreement with opinions

(accord)

She's an excellent actress. C'est une excellent comédienne.

- **We agree (wholeheartedly) with you.**
Nous sommes entièrement d'accord avec vous.
- **I totally agree with you.**
Je suis entièrement d'accord avec vous.
- **We are all of the same opinion.**
Nous sommes tous du même avis.
- **We share your opinion.** Nous partageons votre opinion.
- **Yes, she definitely is one of the best.**
Oui, c'est assurément une des meilleures.
- **Yes, she certainly is.** Oui, incontestablement.
- **So she is!**
- **That she is!** | Ça oui alors!
- **How right you are!** Vous avez drôlement raison!
- **Yes indeed!** C'est sûr!
- **Precisely!/Exactly!** C'est exact!/Très juste!
- **Absolutely!** Absolument!
- **There's no doubt about it.**
- **There's no doubting it.** | Aucun doute là-dessus.
- **There's/There are no two ways about it.**
Pas de doute possible là-dessus.
- **That's what I've always said/thought.**
C'est ce que j'ai toujours dit/pensé.
- **I couldn't agree more!** Tout à fait d'accord!
- **You're (absolutely) right there!**
Vous avez mille fois raison là-dessus.

- **You bet she is!** *(US)* Tu parles!/Tu peux le dire!
- **Too straight!** *(GB)* C'est évident!
- **Sure is!** *(US)* C'est sûr!

I kind of like her. Je la trouve sympathique.

- **So do I.**
- **Me too.** | Moi aussi.

But I don't like her in comedies.
Mais je ne l'aime pas dans des comédies.

- **Neither/Nor do I.**
- **I don't either.**
- **Me neither.** *(US)* | Moi non plus.

- **We're eyeball to eyeball.** *(US)*
Je pense exactement comme toi.
- **Right you are!** T'as raison!
- **Right on!** *(US)* Tout juste!
- **You've got it!** *(US)* T'as tout compris!

20

Agreement with plans and projects

(accord)

I (warmly) applaud your decision.
J'applaudis à votre décision.

I had arrived at the same conclusions as you.
J'étais arrivé aux mêmes conclusions que vous.
I for one am **ready to back** this project.
Moi, je suis prêt(e) à apporter mon soutien à ce projet.
As a matter of fact, it was I who **gave the go-ahead.**
Du reste, c'est moi qui ai donné le feu-vert.
Agreed!
All right! | C'est d'accord.
I'm 100 % in agreement with you.
Cent fois d'accord avec vous.
I'm prepared **to back you to the hilt.**
Je suis prêt(e) à vous soutenir jusqu'au bout.
Hear! Hear! *(said in reaction to a spoken remark or speech)*
Bravo!
Right! Bon!
Fine! Bien!
Good!/Very good! Très bien!
Perfect! Parfait!
O.K. D'accord!
I'm all for it. Je suis entièrement pour.
I'll second that! Je suis partant(e).

I'll drink to that! A la bonne heure!

It's as good as done. C'est comme si c'était fait!
You're the boss!
C'est vous le chef!/On vous suit comme un seul homme.

We've earned a lot of brownie points because of our project.
Notre projet nous a valu des tas de compliments. *(US)*

The boss has **given us the green light.**
Le patron nous a donné le feu vert.
The boss has **given us a pat on the back/a clean bill of health.**
Le patron nous a donné des marques d'encouragement.
He has given the devil his due.
Il nous a rendu justice.

21

Disagreement with opinions
(désaccord)

I beg to differ. Permets moi de ne plus te suivre.

I don't see eye to eye with you on that.
Je ne partage pas ton point de vue sur la question.
I'm afraid you're mistaken.
Je crains que vous ne fassiez erreur.
No! I think you're wrong.
Non! Je crois que vous vous trompez.
Look! This argument of yours **doesn't hold water.**
Voyons! Votre argument ne tient pas debout.
I totally disagree with you.
I couldn't disagree more with you.
I couldn't agree less with you.
Je suis en total désaccord avec vous.
She made a face at my suggestion.
Elle a fait la grimace quand j'ai fait ma proposition.
I know they disagree with me : they've **given me the silent treatment.**
Je sais qu'ils ne sont pas d'accord avec moi. Ils ont décidé de m'ignorer.

There are **bad vibes** between us.
Le courant ne passe pas entre nous.

We don't seem **to be on the same wavelength,** do we?
Je crois que nous ne sommes pas sur la même longueur d'ondes.
That's where we part company.
Je ne te suis plus dans cette voie.
How could you make such a claim?
Comment avez-vous pu prétendre une chose pareille?
That's not true. Ce n'est pas vrai.
That's untrue. C'est faux.
That's completely untrue. C'est archi-faux.
That is totally irrelevant/off the wall *(US)*!
Cela n'a rien à voir avec le sujet./C'est complètement farfelu.
As far as I'm concerned, **that doesn't jibe!**
En ce qui me concerne, ça ne colle pas!
You're wide of the mark there! Vous n'y êtes pas du tout!

You're way off base/out in left field! *(US)*
Vous êtes complètement à côté de la plaque.
You're barking up the wrong tree!
Tu te gourres complètement!

It's you who have got the wrong end of the stick!
C'est vous qui êtes à côté de la plaque!
You've landed yourself in it this time!
Tu t'es fourré le doigt dans l'œil.
You've landed right in it, haven't you?
Tu te fourres le doigt dans l'œil jusqu'au coude.
You don't know what you're talking about.
Tu ne sais pas ce que tu dis.

You're talking through a hole in your head/out of the top of your head.
Tu dis vraiment n'importe quoi.
That's all hot air! Tout ça c'est du vent!
What a bunch of hogwash! *(US)*
Quel tas de c...ries!

That's utter nonsense! C'est complètement idiot!

Baloney! *(US)* Foutaises!
Hooey!/Ballyhooey! *(US)*
Du flanc! Du bourrage de crâne!
Balderdash! Balivernes! Sornettes!
What a load of rubbish/rot/tripe/(old) cobblers/crap!
Tout ça c'est des balivernes/des histoires à dormir debout/des c...ries!
Poppycock! C'est du pipeau!

Bullshit! Des c...ries!

It's not on! Ça va pas la tête? Bobo la tête?

No way I'm going to give in! Pas question que je cède!
Are you mad or what? Tu es fou ou quoi?

You're clean off your rocker! Tu débloques complètement!
You're nuts!
You've lost your marbles! | T'es complètement dingue!
They've got a screw loose. Ils ont une case de vide.

22

Disagreement with plans and projects

(désaccord)

We can't suscribe to this project.
Nous ne pouvons souscrire à ce projet.
I'm strongly against this initiative.
Je m'oppose formellement à cette initiative.
I remain adamantly opposed to this investment plan.
Je reste farouchement hostile à ce plan d'investissement.
I firmly object to decisions being taken in this arbitrary way.
Je m'insurge contre ces décisions arbitraires.
Giving you our support is totally out of the question.
Il est hors de question que nous vous apportions notre soutien.
There can be no question of our subsidising you to that tune.
Pas question de vous subventionner à ces conditions.

Don't count on us! Ne comptez pas sur nous!
There's no way in which you will win me over.
Rien à faire pour me gagner à votre cause.
Count me out! I'll have none of this.
Ne comptez pas sur moi! Je ne veux pas en entendre parler!
We're not going to follow you. Nous, on ne vous suit pas.
We're not interested, I'm afraid. On veut rien savoir...
There's no pulling the wool over our eyes!
Pas question de nous embobiner.

No way! Pas question!
Nothing doing! Rien à faire!

Never in a million years! Jamais de la vie!

Forget it! Laisse tomber!

Get outta here! *(US)*
Get lost!
On your bike! *(GB)*
Go jump in a lake!
Go fly a kite!
Fous le camp d'ici!/Va te faire voir ailleurs!/Va te faire cuire un œuf!

23

Supposing and guessing

(suppositions et hypothèses)

All this is pure conjecture on my part but... **This is purely conjectural, but...**	Tout ceci est pure supposition de ma part, mais...

Suppose I invited you, would you come?
A supposer que je vous invite, viendriez-vous?
Supposing I asked you, would you accept?
En supposant que je vous le demande, accepteriez-vous?
I assume/presume you want to be persuaded.
Je présume que vous voulez vous faire prier.
I take it that you're in great demand.
J'ai le sentiment que vous êtes très demandé(e).
What if I refused? Et si je refusais?
I guess you're exhausted. *(US)*
Je devine que vous êtes épuisé(e).
What you need, I think, is a nice hot bath.
Je pense que ce dont vous avez besoin, c'est un bon bain.
You must have been travelling all day.
Vous avez dû voyager toute la journée.
Perhaps you've done all the driving as well?
Peut-être même avez-vous conduit tout le temps?
I reckon you must be feeling pretty tired.
Vous devez vous sentir joliment fatigué(e), j'imagine.
I've got an inkling as to what he's up to.
J'ai bien une petite idée sur ce qu'il nous mijote.
I've got a hunch they'll agree to our terms.
J'ai le sentiment qu'ils vont accepter nos conditions.
Good guess! Bien vu!
You've guessed right! Vous avez vu juste!
You've hit the nail on the head!
Vous avez mis le doigt dessus!

Bull's eye! **Spot on!** *(US)* **Bingo!** *(GB)*	En plein dans le mille!

24

Probability and predictions

(probabilités et prévisions)

The outlook **for the future is grim.**
Les prévisions n'annoncent rien de bon pour l'avenir.
The favourite has little chance of coming in first.
Le favori a peu de chances d'arriver premier.
His chances are very slim. Ses chances sont très minces.
It's highly unlikely that he'll win.
Il est grandement improbable qu'il gagne.
The odds are stacked against him.
Il y a gros à parier qu'il sera battu.
He's almost sure to come in second or third.
Il est à peu près certain de se classer second ou troisième.
But we may very well be mistaken.
Mais il est très possible que nous nous trompions.
Although it seems highly improbable...
Bien que cela semble très improbable...
I'd even say unlikely. Je dirais même invraisemblable.
Not to say more than doubtful!
Pour ne pas dire plus que douteux!
There's no danger of him working miracles.
Pas de danger qu'il fasse des miracles.
(There's) not the ghost of a chance!
Pas l'ombre d'une chance!
How much would you bet/wager? Combien tu paries?
Ten to one (10 to 1). Dix contre un.
You might very well be right.
Il se pourrait bien que tu aies raison.
We should know pretty soon.
On ne devrait pas tarder à le savoir.
I'd bet my bottom dollar on it. *(US)*
Je parierais ma chemise là-dessus.
I'd stake my life on it. Ma tête à couper.
His success is in the air/in the wind/on the knees of the gods/in the lap of the gods.
Sa réussite est dans l'air/entre les mains des dieux.
It's all in the cards. C'est inscrit dans les cartes.
Her illness marks the beginning of the end.
Sa maladie ne présage rien de bon.
The kiss of death is on it.
The (hand)writing's on the wall. | Ça va mal se terminer.

She's a gone goose. *(US)* C'est cuit/foutu pour elle.

25

Ability and capability
(aptitudes et capacités)

She's an exceptionally gifted pianist.
Elle est exceptionnellement douée pour le piano.
Yes, and she has a gift for languages too.
Oui et elle a aussi le don des langues.
She's a first-rate cook.
C'est une cuisinière de tout premier ordre.
She's got more than one string to her bow. *(GB)*
Elle a plus d'une corde à son arc.
Her musical ability is another feather in her cap.
Ses talents de musicienne sont encore un atout pour elle.
She's a real all-rounder. *(GB)* Elle sait tout faire.
She is very sure-handed. Elle a la main très sûre.
He has a head for business. Il a le sens des affaires.
He has a nose for a good deal.
Il a un flair pour les bonnes affaires.
He's a master in his own field.
C'est un orfèvre en la matière.

When it comes to ball games, you can't touch him. **When it comes to ball games, he's second to none/matchless/peerless.**	Pour les jeux de ballons, il n'a pas son pareil.

He's a born cricketer.
C'est un joueur de cricket dans l'âme.
And he's fluent in three languages!
Et il parle trois langues couramment!
He's got more than one ace up his sleeve.
Il a plus d'un tour dans son sac.
He's light-years ahead of the others.
Il laisse les autres à des années lumières derrière lui.
When it comes to mechanics, I'm not what you'd call an expert.
Je ne suis pas un expert en mécanique.
But I can hold my own. Mais je me défends.
I'm not (all that) bad with my hands.
Je ne suis pas trop maladroit.
My brother is damn(ed) good at Maths.
Mon frère est vachement bon en maths.
He's an ace/a wiz *(US)* **at technical drawing.**
Il est balèze en dessin industriel.
And he's top of the class in Geography.
C'est un crack en géographie.

He's brill at P.T. *(GB)* C'est la bête en gym!
He really has something on the ball!
Il en a dans le ciboulot!
He really has what it takes. Il est vraiment à la hauteur.

He knows his business.
He knows his onions/stuff. | Il connaît son affaire.

He knows the ropes. Il connaît les ficelles du métier.
He knows the score. Il est dans le coup.
He knows his way around. Il sait se débrouiller.

26

Inability

(inaptitude, incompétence)

I'm totally incapable of drawing a straight line.
Je suis absolument incapable de tracer un trait droit.

I've no artistic talent **whatsoever.**
Je n'ai aucun talent artistique, d'aucune sorte.

I don't understand the first thing about philosophy.
Je n'entends absolument rien à la philosophie.

All this is Greek to me. **It's all Greek to me.** **It's double Dutch.**	Tout ça c'est de l'hébreu pour moi.

It's beyond my grasp. Ça me dépasse complètement.

Complicated explanations like that just **go over/go above my head.**
Ce genre d'explications compliquées me passe au-dessus de la tête.

I don't know a thing about card games.
Je ne connais rien aux jeux de cartes.

Geography **isn't my strong point/best subject at school.**
La géographie n'est pas mon fort.

I'm hopeless at History.
En histoire, je suis au-dessous de tout.

I'm rotten at Maths. Je suis nul(le) en maths.

When it comes to vectors, **I haven't a clue.**
Je ne comprends rien de rien aux (histoires de) vecteurs.

I'm lost! Je suis complètement perdu!

At sport, **I'm past all hope/beyond hope.**
En sport, je suis un cas désespéré.

I have no ear for music. Je n'ai aucune oreille en musique.

I'm not particularly gifted at needlework either.
Je ne suis pas particulièrement douée pour la couture non plus.

I'm all fingers and thumbs *(GB)*/**all thumbs** *(US).*
Je ne sais rien faire de mes dix doigts/je suis empoté(e).

I can't help it! That's the way it is!
Je n'y peux rien! C'est comme ça!

I've hardly any skill(s). Je n'ai pratiquement aucun don.

I'm not even **capable of** boiling an egg (properly).
Je ne sais même pas faire cuire un œuf!

I'm a poor/hopeless thinker.
Je raisonne comme un pied.

I can't sing in tune. Je chante faux.

I can't sing to save myself/my life.
Je chante comme une casserole.

I keep blubbering. Je cafouille lamentablement.

I'm a clumsy clot.
Je suis dégourdi(e) comme un manche à balai.
I'm such a scatterbrain. Je n'ai pas de tête.
I'm bird-brained. J'ai une tête de linotte.
Everything slips through my fingers.
Tout me glisse des doigts.
I'm cack-handed. Je suis maladroit.
Nature hasn't been kind to me!
La nature ne m'a pas gâté(e).

> **I'm a dead loss!** Je suis nul!
> The new employee is **no bargain/prize!**
> Le nouvel employé, c'est pas un cadeau/une affaire!
> The new employee is **plenty of nothing!**
> Le nouvel employé ne vaut pas tripette.
> The new employee is **like a fish out of water.**
> Le nouvel employé n'est pas dans son élément.
> The new employee is **away out in left field.** *(US)*
> Le nouvel employé est complètement paumé.
> The new employee is **wide of the mark.**
> Le nouvel employé n'y est pas du tout.
> The new employee is **a born loser.**
> Le nouvel employé a une nature de vaincu/perdant.
> Everything he does is **half-baked/half-cocked/half-cooked.**
> Il ne fait que des trucs à la noix.

It's the blind leading the blind!
Au royaume des aveugles.
They don't let the left hand know what the right hand is doing!
Ils bousillent leur propre travail./Ils travaillent en dépit du bon sens.

27

Remembering
(souvenance)

A host of memories come flooding back.
Une foule de souvenirs me revient en mémoire.

I (think I) **can still see** Grandad's face.
Je crois revoir encore le visage de grand-père.
I remember him quite clearly.
Je me souviens parfaitement de lui.
I (can) vividly recall the day of his death.
Je me rappelle nettement le jour de sa mort.
I remember it as if it were yesterday.
Je m'en souviens comme si c'était hier.
As far as I can remember, I was seven at the time.
Pour autant que je m'en souvienne, j'avais sept ans à l'époque.
The whole scene is **still there in my mind.**
J'ai toujours la scène en mémoire.
That jogs my memory.
That rings a bell!
Ça me rappelle quelque chose.
Certain details **come back to me.**
Certains détails me reviennent à l'esprit.
This brings a lot of things **back (to me).**
Ceci me rappelle des tas de choses.
You make me think of him when you speak.
Tu me fais penser à lui quand tu parles.
You remind me of him. Tu me le rappelles.
Remind me to buy some flowers for Gran.
Fais moi penser à acheter des fleurs pour mamie.
Can you still remember her address?
As-tu encore en tête son adresse?
You have a fantastic memory! Tu as une sacrée mémoire!
Grandma often **looks back.**
Grand-mère évoque souvent le passé.
In her mind's eye it's all clear.
Tout lui revient clairement en mémoire.

PROVERB

An elephant never forgets. Rappelle-toi la mule du Pape.

28

Forgetting

(oubli)

His birthday had completely slipped my mind.
Son anniversaire m'était complètement sorti de l'esprit.
I had forgotten all about our meeting.
J'avais totalement oublié notre rendez-vous.
I have no memory for figures.
Je n'ai aucune mémoire pour les chiffres.
I can't remember a thing. Je n'ai aucune mémoire.
I've a memory like a sieve.
My memory is like a sieve. | Ma tête est une vraie passoire.
What I'm told goes in one ear and out the other.
Ce qu'on me dit rentre par une oreille et ressort par l'autre.

One of these days, I'll forget my (own) head!
Un de ces jours j'oublierai ma tête!

My powers of recall are nil.
Ma capacité de mémorisation est nulle.
I must have been asleep on the job.
J'ai dû m'endormir à la tâche.
I must have been woolgathering/in another world.
J'ai dû rêvasser.

I don't remember exactly; it's a bit fuzzy around the edges.
Je ne m'en souviens pas exactement; c'est un peu flou sur les bords.

PROVERB

Out of sight, out of mind. Loin des yeux, loin du cœur.

29

Time – duration

(temps – durée)

Time is running out! Only three shopping-days left to Christmas!
Comme le temps passe! Plus que trois jours pour faire les achats de Noël!
Good Lord! **How time flies!**
Mon Dieu! Comme le temps passe vite!
The day **has simply sped past/flashed by.**
Je n'ai pas vu la journée passer./La journée a passé comme l'éclair.
The job was finished **in next to no time.**
Le travail a été fait en un rien de temps.
The job was finished **quicker than you can say Bob's your uncle/Jack Robinson.** *(GB)*
Le travail a été fait en moins de temps qu'il ne faut pour le dire.
In the twinkling of an eye. En un clin d'œil.
Hold on! I'll be with you **right away/in a jiffy/in a tick.**
Ne quittez pas! Je suis à vous dans une minute.
All this was done **in double quick time.**
Tout cela a été mené tambour battant.
It was done **on the double.** Au pas de charge.
We hardly had time to breathe/draw (our) breath.
Nous avons à peine eu le temps de souffler/de dire ouf!

Sometimes the hours **weigh heavy.**
Parfois les heures nous pèsent.

The morning had **dragged on and on.**
La matinée n'en finissait pas de se traîner.
In the past, **it took days and days** to do this job.
Autrefois, il fallait des jours et des jours pour faire ce travail.
We wasted a ridiculous amount of **time** writing everything out by hand.
Nous perdions un temps fou à tout écrire à la main.
It was an endless job.
It just went on and on and on.
Ça n'en finissait plus.
There was no end in sight. On n'en voyait pas la fin.
I haven't seen you **for ages.**
Ça fait des lustres/siècles que je ne t'ai pas vu!

Yes, it's been **donkey's years** /it's been **yonks!** *(GB)*
Oui, ça fait une éternité/une paye!

You can argue about that **till the cows come home/until you're blue in the face.**
Vous pouvez discuter de ça jusqu'à la St Glinglin.

Time is of the essence. Pas une seconde à perdre.

It's been a coon's age since they left. *(US)*
Ça fait des lustres/un bail/une éternité qu'ils sont partis.
He'll never change **until hell freezes over.**
Il ne changera jamais de la vie.

We'll have to wait **forever and a day.**
On va devoir attendre ad vitam aeternam.
It's the same old grind **day in day out.**
C'est toujours le même train-train d'un jour sur l'autre.
This store is open **around the clock.**
Ce magasin est ouvert 24 h sur 24.

My report is due tomorrow; I'll work **down to the wire.** *(US)*
Je dois remettre le rapport demain; faut que je me défonce.

I'll have to get up **bright and early.**
Il va falloir me lever de bon matin.
My friend will do whatever you say **at the drop of a hat.**
Mon ami fera tout ce que vous voulez sur un geste de vous.

PROVERBS

'Tempus fugit.'/Time flies. Ah! Comme le temps passe!
Time and tide wait for no man.
Le temps et la marée n'attendent personne.
The early bird catches the worm.
Le monde appartient à ceux qui se lèvent tôt.

30

Time – frequency

(temps – fréquence)

Even if I have **less and less time** I'll try to see her **more and more.**
Même si je dispose de moins en moins de temps j'essaierai de la voir de plus en plus.
Every time I phone, the line is engaged.
Chaque fois que je téléphone, la ligne est occupée.
I often try to get through to you **ten times a** day!
J'essaie souvent de te joindre, dix fois par jour!
I spend nearly all my time hanging on to the phone!
Je passe presque tout mon temps pendu au téléphone!
I'm forever trying to get in touch with you on the phone.
J'essaie continuellement de t'avoir au bout du fil.
But **I seldom** write. Mais j'écris rarement.
I write a letter **once every now and then/every so often.**
J'écris une lettre de temps en temps.
I may drop her a line **once in a while.**
Il m'arrive d'écrire un petit mot en passant.
Every time her birthday comes round, for example.
Chaque fois que c'est son anniversaire, par exemple.

I'VE TOLD YOU TIME AND AGAIN
TO BE MORE CAREFUL.

I'm very exceptionally in touch with them now.
Je ne les contacte que très rarement maintenant.

Not to say hardly ever!
Pour ne pas dire pratiquement jamais.
In fact, I write (to) them once in a blue moon.
En fait, je leur écris tous les 36 du mois.
I've told you time and again to be more careful.
Je t'ai dit et répété de faire plus attention.
I've warned you time without number not to accept lifts from strangers.
Je t'ai averti(e) un nombre incalculable de fois de ne pas te laisser prendre en voiture par des gens que tu ne connais pas.
She'll never succeed in a month of Sundays.
Quoi qu'il arrive, elle ne réussira jamais.
You can count on him to win more often than not.
Tu peux compter sur lui pour gagner la plupart du temps.

PROVERBS

Tomorrow never comes. Demain veut dire jamais.
A stitch in time saves nine.
Mieux vaut prévenir que guérir.

31

Intentions

(intentions)

We've made plans for the summer.
Nous avons fait des projets pour cet été.

We're contemplating a holiday at the seaside.
Nous envisageons de passer nos vacances au bord de la mer.

We plan to go alone. Nous avons prévu de partir seuls.
We don't intend to do/doing any sightseeing.
Il n'entre pas dans nos plans de faire du tourisme.
We're set on having a good rest.
Nous sommes décidés à bien nous reposer.
I intend to sleep/sleeping at least 12 hours a night.
J'ai l'intention de dormir au moins 12 heures par nuit.
I'm thinking of going into industry.
Je pense entrer dans l'industrie.
My parents had **mapped out** a career in teaching for me.
Mes parents me destinaient à l'enseignement.
My parents **saw me** in teaching/**saw me** as a teacher.
Mes parents me voyaient enseignant(e).
I don't know what **they're aiming at.**
J'ignore où ils veulent en venir.
I don't want to let them down.
Je ne veux pas les décevoir.
I have a good mind to tell them the truth.
J'ai bien envie de leur dire la vérité.
If I let you down, **I didn't mean it.**
Si je vous ai déçu, ce n'était pas mon intention.
I didn't **do it on purpose/deliberately** – honest!
Je ne l'ai pas fait exprès/de propos délibéré – je vous assure.
It was a **premeditated** crime, no doubt.
C'était un crime prémédité, c'est sûr.

It was all done **with aforethought.**
Tout ça était prémédité.

What was he trying **to get at?**
Il voulait en venir où, au juste?

PROVERBS

The end justifies the means. The good intention excuses the bad action.	La fin justifie les moyens.

32

Purpose

(finalité)

It was only **to** help you that I came.
C'est dans le seul but de t'aider que je suis venu.

It was (merely) out of concern for your success, believe me.
C'était par pur souci de te voir réussir, crois-moi.

In case you've/you'd forgotten, 'A' Levels start next week.
Au cas où tu l'aurais oublié, le bac commence la semaine prochaine.
To all intents and purposes, you couldn't care less.
Tout bien pesé, tu t'en moques éperdument.

Let's not lose sight of our prime objective.
Ne perdons pas de vue notre objectif prioritaire.

We'll do all we can **in order to** smooth the path for you.
Nous ferons tout notre possible afin d'aplanir les difficultés pour toi.
And **because** we're pinning all our hopes on you...
Et parce que nous avons placé tous nos espoirs en toi...
Our main priority will be, from now on, **to** watch your every step.
Notre premier souci sera de ne plus te lâcher d'une semelle.
So that you don't/won't forget, I'll remind you nearer the time.
Pour que tu n'oublies pas, je t'en reparlerai quand on approchera de la date.
Lest you forget, it's their anniversary on November 22nd.
Au cas où tu l'oublierais, c'est leur anniversaire le 22 novembre.

PART SIX

The language of action

1

Requests
(demandes)

May I ask a favour of you?
Puis-je solliciter de vous une faveur?

Would you be so kind as to give me a lift to the theatre?
Auriez-vous l'obligeance de me déposer au théâtre?

I'd be so grateful/much obliged if you could look after the children.
Je vous serais infiniment reconnaissant(e)/très obligé(e) si vous pouviez vous occuper des enfants.

Would you be good enough to give them a meal?
Auriez-vous la bonté de les faire manger?
It would be terribly nice of you to see that they go to bed early.
Ce serait très aimable à vous de les faire se coucher tôt.

Be a dear/darling/sweetie *(GB : a feminine expression)* **and lend me your car.**
Sois gentil(le)/un amour et prête-moi ta voiture.

Could I borrow your fur too?
Pourrais-je t'emprunter aussi ta fourrure?
Can you help me do my hair?
Tu peux m'aider à me coiffer?
May I try on your ear-rings?
Je peux essayer tes boucles d'oreille?
Would you object/mind if your husband came along with me?
Est-ce que tu vois un inconvénient à ce que ton mari m'accompagne?
You've no objection if we get back a bit late?
Ça ne te fait rien si on rentre un peu tard?
I'm not asking too much, am I?
J'espère que je n'abuse pas au moins.
Is it O.K. if we all stay overnight?
C'est d'accord si on reste pour la nuit?
You won't mind a little rock music in the evening, will you?
Tu n'as rien contre un peu de rock dans la soirée, au moins?
I know it sounds silly, but I'm always scared of making a nuisance of myself.
Je sais que c'est idiot mais j'ai toujours peur de gêner.

2 Refusal

(refus)

It would have been a pleasure to help you, but unfortunately in these circumstances... C'eût été un plaisir de vous aider mais malheureusement, en ce moment...
I do (so) wish I could help you, but...
Comme je voudrais vous aider. Hélas...
I (truly) regret not being able to meet your request.
Je regrette de ne pas pouvoir accéder à votre requête.

I'm afraid I'll have to say no.
Je suis au regret de devoir vous dire non.
I'm sorry but it's just not possible.
Je suis navré(e) mais ce n'est tout simplement pas possible.
I'd love to be of some help, believe me, but...
J'aimerais vraiment pouvoir vous aider, croyez-le bien mais...
What a pity you didn't ask me earlier!
Quel dommage que vous ne m'ayez pas demandé plus tôt!
You're out of luck, I'm afraid!
Vous n'avez pas de chance, vraiment.
Sorry, old chap, not tonight! Désolé, vieux, pas ce soir!
There's no way we can get things sorted out for tonight.
Pas moyen d'arranger ça pour ce soir.
Hard/Tough luck! My car's broken down/not running/off the road.
Manque de pot/chance! Ma voiture est en panne.
I'll have to close/shut my eyes to his request.
I'll have to turn a blind eye/a deaf ear to his request.
Il va falloir que je fasse la sourde oreille à sa requête.
Trade with such a crook? Perish the thought!
Faire des affaires avec cet escroc? Jamais de la vie!
My fur? Out of the question!
Ma fourrure? C'est hors de question!
My jewels? You're joking of course!/You've got to be joking!/You're not serious!
Mes bijoux? Tu plaisantes!/Tu rigoles ou quoi?
My husband? What next?
Mon mari? Eh puis quoi encore?

Over my dead body!
Ça par exemple! Plutôt mourir/crever!

Never in a milion years!
Not on your life! *(GB)*
Jamais de la vie!

Forget it!/No dice!/sale! *(US)*
No deal!/No go!/No way!
Pas question!

3

Suggesting and advising

(suggestions et conseils)

Take your cue from me and invest in Savings Certificates.
Écoute mon conseil et investis dans les bons de la Caisse d'Épargne.

I can't stress enough/can't overstress the necessity of acting promptly.
Je ne saurais trop insister sur la nécessité d'agir promptement.
I can't impress on you enough the need to be cautious.
Je ne saurais trop insister sur la nécessité d'être prudent.
You would be wise to leave early.
Vous seriez bien avisé de partir tôt.
It would be wise if we left early.
Il serait sage de partir tôt.

I suggest (that) we (should) take the train. **I suggest (our) taking the train.**	Je suggère que nous prenions le train.

If it were (only) up to me, I wouldn't go at all.
S'il ne tenait qu'à moi, je ne partirais pas du tout.
If I were you/in your shoes, I wouldn't risk it.
Si j'étais vous/à votre place, je ne prendrais pas ce risque.
What I propose is that we travel by night.
Ce que je propose c'est de voyager de nuit.
What I propose is taking a night train.
Ce que je propose c'est de prendre un train de nuit.
Personally, I'd advise/recommend you to go by plane.
Personnellement, je vous conseille l'avion.
It's advisable to avoid peak hours.
Il est préférable d'éviter les heures de pointe.

Take my advice and book as soon as possible. **Follow my advice and book well in advance.**	Suivez mon conseil et louez les places au plus tôt.

You'd better book soon, otherwise there won't be any seats left.
Vous feriez mieux de réserver rapidement, sinon il ne restera plus de places.
What/How about booking sleepers?
Que diriez-vous de réserver des couchettes ?

Why don't you/we travel first class? **Why not travel first class?**	Et pourquoi ne pas voyager en 1re ?
You'd be better to go by plane. **You'd be better off going by plane.**	Ça serait mieux pour vous de prendre l'avion.

I'll give you a piece of advice...
Je vais te donner un bon conseil...
My advice to you is this... Écoute ce que j'ai à te dire...
Let me give you a hint...
Laissez-moi vous donner une indication...
Can't you take a hint?
Tu ne peux donc pas comprendre à mi-mots?

Let me clue you in... **Let me tip you off...** **Let me give you a tip/the tip off...**	Laissez-moi vous donner un tuyau...

How's about walking there? Et si on y allait à pied?
Haven't you gotten the word/gotten wind of it? Don't walk in the park at night. *(US)*
On ne vous l'a pas dit? Il ne faut pas se promener la nuit dans le parc.

PROVERBS

Advice is cheap.
Les conseilleurs ne sont pas les payeurs.
A word to the wise is sufficient.
Un mot suffit à qui sait entendre.

4

Warning
(avertissements)

I prefer to warn you of the danger now.
Je préfère vous avertir du danger maintenant.
Never take things at (their) face value.
Ne vous fiez pas aux apparences.

You can never be too careful. **You can't be careful enough.**	On ne saurait trop être prudent.
Keep on the lookout! **Be on the watch!** **Be on your guard!**	Restez sur vos gardes!

Beware of pickpockets! *(sign)*
Méfiez-vous des voleurs à la tire!

Beware of falling stones! *(sign)*
Attention aux chutes de pierres!
Look out for avalanches! Attention aux avalanches!
Don't let your mind wander!
Ne relâchez pas votre attention!
Drive carefully. Slippery road surface. *(road sign)*
Conduisez prudemment. Chaussée glissante.

Danger! Hairpin bend! *(road sign)*
Danger! Virage dangereux (en épingle à cheveux).
Be careful of the automatic doors.
Attention aux portes à fermeture automatique.
Make sure that you're home by nightfall/before it gets dark.
Veillez à rentrer avant la tombée de la nuit.
Mind your head! Attention à votre tête!
Mind the step! *(GB)*
Watch out for the step! | Faites attention à la marche!
Careful! It's slippery underfoot.
Attention! Ça glisse par terre.
Keep your eyes peeled/skinned/open!
Ouvrez l'œil!
Watch your Ps and Qs at table.
(Ps = 'Pleases'; Qs = 'Thank yous') Pesez bien vos mots à table.
Watch your step!
Faites attention (où vous mettez les pieds)!/Fais gaffe!
Watch where you put your feet!/Look where you're going!
Regardez bien où vous posez le pied!

PROVERBS

Look before you leap. Ne vous lancez pas à l'aveuglette.
Still waters run deep. Il n'est pire eau que l'eau qui dort.
Forewarned is forearmed.
Un homme averti en vaut deux.
Better safe than sorry.
A stitch in time saves nine. | Mieux vaut prévenir que guérir.
As you sow, so shall you reap.
Qui sème le vent récolte la tempête.

5

Giving directions

(indication)

How far is the city centre from here?
Le centre ville est à quelle distance?

- **5 miles as the crow flies.** 5 miles à vol d'oiseau.
- **Which way do I go?** Quelle route dois-je prendre?
- **Straight ahead all the way/straight as an arrow** *(US).* C'est toujours tout droit.
- **Fork left/Turn (sharp) left/Take a left at the junction** *(GB)*/**intersection** *(US).* Bifurquez/Prenez/Tournez à gauche au croisement.
- **When you get to the suburbs, just follow your nose.** Quand vous arrivez en banlieue, fiez-vous à votre instinct.

6

Giving instructions
(directives)

This is my first driving lesson. Tell me what I have to do.
C'est ma première leçon de conduite. Dites-moi ce qu'il faut faire.

- **First of all, you must fasten your seat belt.**
Tout d'abord, vous devez attacher votre ceinture.
- **Then check that you are in neutral.**
Puis vérifier que vous êtes au point mort.
- **Next, turn on the ignition.** Ensuite, mettez le contact.
- **Don't forget to use/pull out the choke.**
N'oubliez pas le starter.
- **Never release the clutch too sharply.**
Ne débrayez jamais trop brutalement.
- **And finally, use the rear-view mirror.**
Enfin, pensez au rétroviseur.
- **Ah! If you stall, don't panic!**
Ah! Si vous calez, ne vous affolez pas!
- **Keep smiling and start the car again.**
Gardez le sourire et remettez le moteur en marche.
- **In the event of a minor accident, wipe off the smile and whip out the insurance!**
En cas d'accrochage, rentrez le sourire et sortez votre assurance.

What do I have to do to make a good cup of tea?
Que dois-je faire pour faire une bonne tasse de thé?

- **First, fill the kettle with cold water.**
Premièrement, remplissez la bouilloire d'eau froide.
- **Second(ly), bring the water to the boil.**
Deuxièmement, portez l'eau à l'ébullition.
- **Third(ly), pour some boiling water into the teapot to warm it.**
Troisièmement, versez de l'eau bouillante dans la théière pour la chauffer.
- **Next, empty the teapot.** Ensuite, videz la théière.
- **Then put the tea into the pot, allowing one teaspoonful per person and one for the pot.**
Puis mettez le thé dedans, à raison d'une cuillerée par personne, plus une pour la théière.
- **Meanwhile, bring the water back to the boil.**
Entretemps ramenez l'eau à son point d'ébullition.
- **After that, pour the boiling water into the pot.**
Après quoi versez l'eau bouillante dans la théière.
- **Having done this, let the tea draw/brew for about five minutes.**
Ceci étant fait; laissez infuser pendant cinq minutes environ.

▪ **Finally,** **pour into cups and serve with lemon or milk.**
Enfin, versez dans les tasses avec du citron ou du lait.
▪ **But, before this,** **find out whether your guests are 'MIF'** *(= Milk In First)* **or 'MIL'** *(= Milk In Last)*!
Mais auparavant renseignez-vous pour savoir si vos invités sont des partisans du lait versé en premier ou en dernier.

7

Giving orders
(ordres)

Kindly show the lady to the door.
Veuillez avoir l'amabilité de reconduire Madame.
Would you be so kind as to call a cab/taxi for the lady?
Veuillez avoir l'obligeance d'appeler un taxi pour Madame.
Please be kind enough to carry the lady's parcels for her.
Auriez-vous la bonté de porter les paquets de Madame?

Don't forget to post these letters!
N'oubliez pas de poster ces lettres!
My orders are very strict – No smoking in here!
Mes ordres sont formels – pas de fumeurs ici!
I said so! (And) that's enough! J'ai dit! Cela suffit!
Do as you're told, and no talking back, please!
Fais ce qu'on te dit sans répondre, s'il te plaît!
Don't let me see you slacking again, O.K.?
Et que je ne t'y reprenne pas à flemmarder, vu?

And would you PLEASE get your skates on?
Et je te prie de te magner le train, S'IL TE PLAIT!

And none of your grumbling either, if you don't mind.
Et pas de rouspétance, je te prie.
Hurry up! Dépêchez-vous!
On the double! *(armed forces)* Et en vitesse!
Dismiss! Rompez!
Ready? Fire! A mon commandement... Feu!
On your marks? Get set! Go! / **Ready? Steady? Go!** — A vos marques! Prêts? Partez!
Come on! Get up! Allez! Debout!

Shake a leg! Remuez-vous un peu!

Rise and shine! Debout!
Wakey, wakey! *(GB)* Allons! On se réveille là-dedans?
Make it snappy! / **Get a move on!** / **Move it!/Hop to it!** / **Move your butt!** *(US)* — Secouez-vous!/Grouillez-vous!
Get off! Lâche-moi!
Go away! Allez-vous en!

Scram!/Hop it! *(GB)***/Clear off!** / **Buzz off!/Beat it!** — Tirez-vous!/Tire-toi!/Du balai!

Sod off! *(GB)***/Piss off!** *(GB)* / **Bugger off!** *(GB)***/Bug off!** *(US)* / **Fuck off!** — Dégage!/Fous le camp d'ici!

8

Forbidding

(interdictions)

Such behaviour will not be tolerated under any circumstances.
En aucun cas ce type de comportement ne sera toléré.
On no account is this patient to be allowed any visitors.
Toute visite est strictement interdite à ce malade.
Trespassers will be prosecuted. *(sign)*
Défense de passer sous peine d'amende./Propriété privée.
Parking is strictly forbidden here.
Il est strictement interdit de stationner ici.
No parking. *(sign)* Stationnement interdit.
Dumping of rubbish prohibited. *(sign)*
Interdiction de déposer des ordures.
No bill-posting. By order. *(sign)*
Défense d'afficher (loi du 29 juillet 1881).
Patrons will be refused admission if improperly dressed. *(sign)*
Les clients en tenue négligée seront refoulés à l'entrée.
Smoking is not allowed in the auditorium.
Défense de fumer dans la salle.
I forbid you to talk to my wife!
Je t'interdis de parler à ma femme!

I didn't give you permission to come in!
Je ne t'ai pas permis d'entrer!
We're not allowed/authorised to visit certain factories.
Nous ne sommes pas autorisés à visiter certaines usines.
The authorities have refused/denied us the right to visit that place.
Les autorités nous ont refusé le droit de visiter cet endroit.
I'm sorry. You can't come in.
Je suis désolé. Vous ne pouvez pas entrer.
You mustn't smoke in here. Il ne faut pas fumer ici.

You're off limits/out of bounds bullying people like that!
Vous outrepassez vos droits en malmenant les gens de cette façon!

9
Obligation
(obligations)

We cannot **shirk** our duties.
Nous ne saurions échapper à nos devoirs.
We are morally bound to honour our commitments.
Nous sommes moralement tenus de remplir nos engagements.
I'm required to draw that condition to your attention.
On m'a prié d'attirer votre attention sur cette clause.
It behoves us to act with suitable decorum.
Nous sommes tenus d'agir selon les convenances.
It rests on us to disclose the truth of the matter.
Nous nous trouvons dans l'obligation/C'est à nous qu'il incombe de révéler la vérité dans cette affaire.

It is up to us to reveal all. C'est à nous de tout dire.
It is our duty to raise our children decently.
Il est de notre devoir d'élever correctement nos enfants.
We must look after their schooling.
Nous devons surveiller leurs études.
We have to give them a good start in life.
Nous devons leur donner un bon départ dans la vie.
We've got to do a lot for them.
Nous avons beaucoup à faire envers eux.
Everyone **is expected to** pull his/their weight.
Chacun doit contribuer à l'effort général.
Military service **is compulsory** in France.
Le service militaire est obligatoire en France.
You've got to go through it, **willy-nilly.** Il faut bel et bien y passer.
There's no dodging your assigned chores.
Pas question de couper aux corvées règlementaires.
In some restaurants, a tie **is 'de rigueur'/required.**
Dans certains restaurants, la cravate est de rigueur.
The cathedral **is a must** if you like Gothic architecture.
Il faut absolument visiter la cathédrale si tu aimes l'architecture gothique.
I'm afraid **you don't have the choice/you have no choice.**
Je crains que vous n'ayez pas le choix.
Blast! **I have to** empty the dustbin *(GB)*/trash can *(US)* !
Zut! Il faut que je vide la poubelle!
And then **I've got to** do the dinner dishes.
Et puis il faut que je fasse la vaisselle du dîner.
And to top it all, **I'm supposed to/expected to** keep smiling!
Et pour couronner le tout, il faut que je sois de bonne humeur!

10

Expressing urgency

(urgence)

It's imperative that we leave **right now.**
Il est impératif que nous partions maintenant.

We've simply **got to** leave **right away.**
Il nous faut absolument partir immédiatement.
Regardless of all else, we must **get going.**
Toutes affaires cessantes, il faut nous mettre en route.
We can't afford to lose a second/a moment.
Nous ne pouvons pas nous permettre de perdre une seconde.
We must act **as soon as (humanly) possible.**
Nous devons agir au plus vite.
We must **meet the most urgent needs** first of all.
Il faut parer au plus pressé.
Go on and **be quick about it!** Allez et faites vite!
Can't you hurry (it) up a bit?
Vous ne pouvez pas vous dépêcher un peu?
Can't you get a move on?
Vous ne pouvez pas faire fissa?
Hurry up! I'm not going to stand here for ever/for the rest of my days!
Dépêche-toi! Je ne vais pas rester ici toute ma vie!
Hurry up there! I haven't got all day (to wait).
On se dépêche là-bas! Je n'ai pas tout une journée à perdre.
Come on! We're not spending the rest of our lives here, you know!
Allez! On ne va pas passer le reste de notre vie ici!

WHAT ARE YOU WAITING FOR? CHRISTMAS?

What are you waiting for? Christmas?/New Year?
Tu attends le Père Noël ou quoi?
This is no time to sit on it!
Ce n'est pas le moment de lanterner/de s'endormir.

Come on slowpoke *(US)*/**slowcoach!**
Grouille-toi, mollasson!

Jump to it! **Get a move on!** **Snap to it!** **Move to it!** *(US)* **Hop to it!** *(US)* **Get your skates on!** **Get cracking!** **Take the lead out!** *(US)*	Mets la gomme!/Grouille-toi!/ Magne-toi (le train)!
Get/Pull your finger out! *(GB)* **Make it snappy!**	Et que ça saute!

PROVERBS

More haste, less speed.
Ne pas confondre vitesse et précipitation.
Time is money. Le temps c'est de l'argent.

11

Setting conditions

(conditions)

I'll come on condition that you don't go to any trouble on my account.
Je viendrai à condition que tu ne te mettes pas en frais pour moi.
And only if you are feeling better.
Et seulement si tu te sens mieux.
I'll attend the meeting if, and only if, that awful woman isn't there.
J'assisterai à la réunion si, et seulement si cette horrible bonne femme n'y est pas.
Those/Such are my terms. Telles sont mes conditions.
Otherwise, I won't come. Sinon, je ne viendrai pas.
Depending on how reasonable you are, I'll decide on a course of action.
Selon que tu seras raisonnable ou non j'aviserai.
As long as it's fine by you, that suits me down to the ground.
Du moment que ça te convient, c'est parfait pour moi.
In case it doesn't suit you, give me a buzz.
Au cas où ça ne colle pas pour toi, donne-moi un coup de fil.
Unless you haven't the time, of course.
A moins que tu n'aies pas le temps bien sûr.

Should you not have the time, don't bother. I can always ring you.
Si tu n'avais pas le temps, ne t'en fais pas. Je peux toujours t'appeler.
Provided that I hear in good time, I'll manage to make the necessary arrangements.
Pourvu que je sois prévenu à temps, je ferai le nécessaire.
Lest she forget/she should forget, I'll tell someone else as well.
Au cas où elle oublierait, je préviendrai quelqu'un d'autre également.

12

Expressing difficulty

(difficulté)

The task was an arduous one, I'll admit.
La tâche a été ardue, j'en conviens.
We're going to have many objections to fight off.
Nous allons devoir vaincre de nombreuses objections.
We're going to have to overcome many obstacles.
Il va nous falloir surmonter de nombreux obstacles.
We'll have to brace ourselves against the gathering storm.
Il va falloir nous armer pour affronter la tempête qui se prépare.

It won't be easy. Cela ne va pas être facile.
The situation may get worse.
Il se peut que la situation s'aggrave.
Things seem to go from bad to worse.
Les choses semblent aller de mal en pis.
They seem to get worse and worse every day.
Elles semblent empirer de jour en jour.
It's a devil of a job trying to talk him round to our point of view.
C'est la croix et la bannière pour le convaincre.
I had a hard time/a hell of a time trying to raise them.
J'ai eu un mal fou à les élever.
It was like looking for a needle in a haystack.
C'était aussi facile que de trouver une aiguille dans une meule de foin.

Getting him to change his ways is a pretty hard business/is an uphill job/is a real sweat!
Faire en sorte qu'il change ses habitudes, c'est drôlement dur!
It's not exactly plain sailing/a piece of cake/a picnic/a doddle *(GB).*
C'ést pas du tout cuit/du gâteau/de la tarte/une promenade.
It's a hard road to hoe. *(US)* C'est pas du tout cuit.
It was no tea-party! C'était pas une partie de plaisir.
Life ain't easy! *(US)* La vie c'est pas facile!
We're in a fix. On est dans de beaux draps!
We're in a jam. On est dans la mélasse!
We're in the soup. On est dans le pétrin.
We're in the stew.
We're in hot water. | On est dans la panade.

We're up shit creek (without a paddle).
On est dans la m.... jusqu'au cou.

13

Impossibility

(impossibilité)

Unfortunately, **there's nothing I can do for you/I can do nothing for you/I can't do anything for you.**
Je ne peux rien faire pour vous hélas!
My hands are tied. Je suis pieds et poings liés.
I can see **no way out of** your problem.
Je ne vois aucune issue à votre problème.
All that is now **beyond/out of our control.**
Tout ceci n'est plus de notre ressort.
There's no solution in sight.
Il n'y a pas de solution en vue.
We can't possibly advise you.
Nous ne sommes pas à même de vous conseiller.
We now find ourselves in **an inextricable situation.**
Nous nous trouvons actuellement dans une situation inextricable.
We're up against a problem **there's no getting round.**
Nous nous heurtons à un problème insoluble.
No matter how hard we try, **we'll never make it.**
On a beau essayer, on n'y arrivera jamais.
It feels as if we've reached **a dead end.**
J'ai l'impression que nous sommes dans un cul-de-sac.
It's too hard for us. C'est trop dur pour nous.
It's beyond us/our grasp. Ça nous dépasse.
I give up/in! I'm beaten! Je renonce! Je m'avoue vaincu!

Nothing doing! Rien ne marche!
No go! Rien à faire!

14

Failure
(échec)

We came very close to succeeding.
Il s'en est fallu de très peu pour que nous réussissions.

We came within an inch of success. **We were within a whisker of succeeding.**	Il s'en est fallu d'un cheveu.

We nearly succeeded. Nous avions presque réussi.
We almost made it. C'était pratiquement fait.
Then things took a turn for the worse.
Et puis les choses ont mal tourné.
We were on the brink/verge of bankruptcy.
Nous étions au bord de la faillite.
We'd received a severe blow.
Nous avions essuyé un échec cuisant.
We were the victims of fate.
Nous étions victimes du mauvais sort.
We'd hit/struck a bad-patch.
Nous avons connu une passe difficile.
We'd reached rock-bottom. Nous avions touché le fond.

We've gone bust. On a pris le bouillon.

We have failed miserably.
Nous avons lamentablement échoué.
It's a (total and) complete failure. C'est un échec total.
It's a real disaster. C'est la débâcle!

What a flop! Le bide le plus complet!
What a wash-out! La Bérésina!
A damp squib, if you ask me! *(GB)*
Un pétard mouillé en quelque sorte!

We've lost everything/all we had.
Nous avons tout perdu.
My business has gone under. Mon affaire a capoté.
His business went down the drain/the tubes *(US).*
Son affaire a coulé/s'est cassé la figure.
He came up broke again. Le revoilà, sans le sou.
He lost his shirt. Il y a laissé sa chemise.

He bit the dust. Il a mordu la poussière.

That shattered him (completely).
Ça l'a complètement anéanti.
He was beaten hollow. Il a été battu à plate couture.
He came a cropper. *(GB)* Il est tombé sur un bec.
This is the end of the line/road for him.
Pour lui c'est la fin des haricots.

Curtains! Rideau!

I haven't come out of it unscathed.
J'y a laissé des plumes.
I lost my shirt. J'y ai laissé ma chemise.
A fine kettle of fish this is! *(GB)* C'est un beau pétrin!
A fine mess we're in!
We're in a fine mess!
We're up the creek.
Nous sommes dans de beaux draps!

We're up shit creek (without a paddle).
On est dans la m... jusqu'au cou.

This really is flogging a dead horse.
On pédale dans la semoule/le yaourt/la choucroute.

I failed/flunked *(US)* **my exam.**
I made a mess of my exam.
J'ai échoué à/raté mon examen.
The other team just walked right over us.
L'autre équipe nous a écrasés.

We got a thrashing/drubbing. *(GB)*
On s'est fait rosser/flanquer une déculottée.
We got clobbered. On s'est fait flanquer une râclée.
What a belting/thrashing they gave us! *(GB)*
Quelle gamelle/quelle pilule on s'est prise!
They made mincemeat out of us.
Ils nous ont flanqué une de ces pâtées!
We were well and truly scuppered! *(GB)*
Ils nous ont bel et bien massacrés!
We're sunk! On est coulés!
We're gon(n)ers! On a notre compte!
My goose is cooked. Les carottes sont cuites.
I'm all washed up.
I'm done in/for!
Je suis foutu.
They've done him in! Ils l'ont eu.

15

Easiness
(facilité)

The wind is set fair. *(GB)* Les vents nous sont favorables.
This job presents no difficulties.
Ce travail ne présente aucune difficulté.

Everything is going to run smoothly, I know.
Tout va aller comme sur des roulettes, je le sais.
From now on, it's going to be fair sailing *(US)*/**plain sailing** *(GB).*
A partir de maintenant, ça va aller tout seul.
You don't have to be a scholar to understand this.
Pas la peine d'être polytechnicien pour comprendre ça.
It doesn't take a genius to do that.
Pas besoin d'être génial pour faire ça.
It's child's play. C'est un jeu d'enfant.
Any idiot could do it!
C'est à la portée du premier imbécile venu.
It's as easy as ABC/pie/winking *(GB)*/**one two three/whistling Dixie** *(US)*!
C'est facile comme bonjour.
It will work like clockwork. Tout va aller tout seul.
It's in the bag already.
C'est du tout cuit. C'est comme si c'était fait.

It's a cinch/a (dead) cert *(GB)*/**a piece of cake.**
C'est du nanan/du gâteau.

It's going to be a walkover for our team. *(GB)*
Ça va être une promenade de santé pour notre équipe.
We won hands down. On a gagné comme dans un fauteuil.

It was a real doddle. *(GB)*
On a gagné les doigts dans le nez.

16

Possibility
(possibilité)

We are at long last **able to** give you satisfaction.
Nous sommes enfin en mesure de vous donner satisfaction.
It is now feasible for us to offer you preferential terms.
Il est désormais envisageable de vous accorder des tarifs préférentiels.
I'm well placed to judge our future prospects.
Je suis bien placé pour parler de notre avenir.
We can now honour all our commitments.
Nous pouvons désormais honorer tous nos engagements.

Thanks to our new computer system, **we can cope/deal with** all our orders in double-quick time.
Grâce à notre nouvel ordinateur, nous pouvons faire face à toutes nos commandes en un temps record.

I'm in a position to offer you a long-term credit plan.
Je suis à même de vous offrir un crédit à long terme.
I'm empowered to give you a special reduction for cash payments.
Je suis habilité à vous accorder une remise spéciale si vous payez comptant.

IT'S HIGHLY LIKELY THAT I'LL GET THE SACK.
MANAGING DIRECTOR

As in the past, you may still pay in foreign currency.
Comme par le passé, il vous sera encore possible de payer en devises étrangères.
Now, you also have the chance of paying by direct debit.
Maintenant vous avez encore la possibilité de payer par prélèvement direct.
Make the most of it while you can!
Profitez-en au maximum tant que vous le pouvez.
I feel I could move a mountain!
Je me sens capable de bouger des montagnes.
There are heaps of opportunities waiting for you young people.
Il y a des tas de possibilités pour vous, les jeunes.
All the options are open just now.
Tout est encore possible en ce moment.
You can always go 'temping' in the meantime. *(A 'temp' = a temporary worker; hence 'to temp'.)*
Tu peux toujours faire de l'intérim en attendant.
There's a 90 % chance that they'll take you on./chance of your being taken on.
Vous avez 90 % de chances d'être embauché.
You stand a good chance of landing the job.
Vous avez de fortes chances de décrocher ce job.
My only option is early retirement.
Moi, la seule possibilité qui m'est offerte c'est la retraite.
The chances of reorientation are slim at my time of life.
Les possibilités de reclassement sont minces à mon âge.
It's highly likely that I'll get the boot/the sack.
Il est des plus probables que je vais me faire virer.
I haven't a chance in a million to succeed/a hope in hell of succeeding.
Je n'ai pas une chance sur mille de réussir.

17

Planning

(projets)

We intend to have a new house built.
Nous avons l'intention de faire construire une maison.

I envisage quite a few difficulties over the planning permission.
Je prévois pas mal de difficultés pour le permis de construire.

As from tomorrow, **we'll be looking for** a suitable site.
Dès demain, on se met à la recherche du terrain.
I aim to have found something before Christmas.
Je pense avoir trouvé quelque chose avant Noël.
But to be on the safe side, we always **keep several irons in the fire.**
Mais pour plus de sûreté, on garde toujours plusieurs fers au feu.
Our plan is to buy a little cottage.
Nous avons projeté l'achat d'un pavillon.
First of all, **there's going to be** a garden.
Tout d'abord, il y aura un jardin.
I'm set on working in it myself.
Je me suis bien promis de l'arranger moi-même.
When I'm retired, **I don't plan to** get bored.
Quand je serai à la retraite, je n'ai pas l'intention de m'ennuyer.
I feel that **I'm going to** take everything in my stride.
Je sens que je vais prendre mon rythme/je vais m'organiser.
I'm not going to stay inactive.
Je ne vais pas rester inactif.
We've got loads of ideas. Nous avons des tas d'idées.
We're not short on/of ideas!
Nous ne sommes pas à court d'idées.

Two months to go till D day!
Plus que deux mois avant le jour J.!

It's as good as done. C'est pratiquement fait.

18

Success

(réussite)

Our efforts have been crowned with success.
Nos efforts ont été couronnés de succès.
How satisfying to know that all our projects have been fulfilled.
Quelle satisfaction de savoir que tous nos projets ont été réalisés.
We have reached/attained our goal.
Nous avons atteint le but que nous nous étions fixé.
What a masterly stroke that was! Quel coup de maître!
Theirs was a tremendous victory.
Ils ont remporté une magnifique victoire.
Our aim has been reached.
Nous sommes parvenus à nos fins.

All our hard work has paid off.
Tout notre travail a fini par payer.
It wasn't easy, but I pulled off the deal.
Cela n'a pas été facile, mais j'ai remporté l'affaire.
Much to our surprise, we carried off first prize!
A notre grande surprise, nous avons décroché le premier prix.
We won hands down. Nous avons gagné dans un fauteuil.
We were streets ahead *(GB)*/**miles ahead** *(US)* **of the competition.**
On avait plusieurs longueurs d'avance sur nos concurrents.
It has been a 100 % *(a one hundred percent)* **success.**
Ç'a été une réussite à 100 %.
Since that turn-around, we've had an endless string of successes.
Depuis, nous volons de succès en succès.
You really hit the jackpot there!
Tu as vraiment décroché la timbale!
We left them standing. On les a cloués sur place.
We won by a mile. On a gagné haut la main.
All those hours of training bore fruit.
Toutes ces heures d'entraînement ont porté leurs fruits.
We certainly succeeded in outmanœuvring them.
On a réussi à déjouer leurs plans.
We managed to run rings round them. On les a eus.
They never knew what hit them.
Ils n'ont pas vu venir le coup.

We really cleaned up/mopped up!
On les a liquidés/aplatis.
We didn't half thrash them!
Qu'est-ce qu'on leur a mis!

We didn't half give them a drubbing *(GB)*/**licking!**
La râclée/la piquette qu'ils ont prise!
We're Numero Uno! *(US)* On est les meilleurs!

PROVERB

Nothing succeeds like success.
Rien ne réussit comme le succès.

19
Encouraging
(encouragements)

Not bad (at all)... Go ahead.
Ce n'est pas mal du tout... Continuez.
Keep up the good work. Continuez ainsi, c'est bien.
Good work, but it'll be even better next time round.
C'est bien, mais ce sera encore mieux la prochaine fois.
Keep going! You're on the right track.
Continuez! Vous êtes sur la bonne voie.
Just put a bit more effort into your work.
Encore un petit effort.
You musn't spare your efforts.
Il ne faut pas ménager vos efforts.
Keep it up! That's better... nearly there.
Tenez bon! C'est mieux... vous y êtes presque.
Keep your spirits up! Ne vous découragez pas!
Chin up! Du cran!

▭ **Keep your pecker up!** Tenez bon!

Never say die! Ne jetez pas le manche après la cognée!
Don't let things get you down.
Don't let things get the better of you. | Ne vous laissez pas abattre.
Stiff upper lip (and all that)! *(vieilli) (GB)*
Il faut réagir! Du cran!
Come on now, pull your socks up! Du courage!
This isn't really the (best) time to sit back!
Ce n'est pas le moment de flancher/de se relâcher.
That's good; you've got the hang of it.
C'est bien ; tu tiens le bon bout! Accroche-toi!
You've got to take the bull by the horns.
Il faut prendre le taureau par les cornes.
Go on! Throw yourself into it! Go for it!
Vas-y! Fonce!
Put your nose to the grindstone.
Collez vous à l'ouvrage.
Well done! That's it!
▮▮ **Way to go!** *(US)* | Bravo! C'est ça!

Put your back into it! Vas-y petit!
Don't let them gain on you!
Don't let them catch you (up)! | Ne les laisse pas faire/te rattraper.

Get stuck in (there)! *(GB)* / **Get your head down!** — Fonce dans le tas!

A little bit more **(and you'll be there/be home and dry).**
Encore un petit effort et tu es sorti de l'auberge.
Come on! *(football, etc.)* Allez les gars!
You can't let up/ease up now!
C'est pas le moment de lever le pied/mollir.

Hang in there! Tiens bon!

PROVERBS

God helps those who help themselves.
Aide-toi, le Ciel t'aidera.
Rome wasn't built in a day.
Rome ne s'est pas faite en un jour.
Where there's a will, there's a way. Vouloir c'est pouvoir.
Nothing venture(d), nothing gain(ed).
Qui ne risque rien, n'a rien.

20

Habits

(habitudes)

I've got into the habit of working over the week-end.
J'ai pris l'habitude de travailler le week-end.
My husband is also in the way of working Saturday and Sunday.
Mon mari aussi a l'habitude de travailler samedi et dimanche.
We're workaholics.
Nous sommes des intoxiqués du travail.
It's in my blood/system now.
C'est dans le sang à présent.
It's second nature to us now.
C'est devenu une seconde nature.
I'm not in the habit of wasting time.
Je n'ai pas pour habitude de perdre du temps.
I'm more used to making time!
J'ai plutôt l'habitude d'en gagner.
It has become something of an obsession with me.
C'est devenu comme une obsession chez moi.
I can't stop working like mad.
Je ne peux plus me passer de ce travail dingue.
I find myself trying to cram more and more into each day.
Je me surprends même à essayer d'en faire de plus en plus tous les jours.
I tend to try and do as much as possible.
J'ai tendance à en faire le plus possible.
Work has become something of a drug to me.
Le travail est devenu comme une drogue pour moi.
I can't get used to being idle.
Je ne peux me faire à l'oisiveté.
I'll never cope with inactivity when I retire.
Je ne pourrai jamais m'habituer à l'inactivité quand je serai à la retraite.
I'm an incurable busy bee.
Je suis une incorrigible fourmi.
As ever/As usual, I'll be working this coming week-end.
Comme toujours, je travaille ce week-end.
I'm something of a TV addict/a movie freak *(US)*.
Je suis un vrai drogué de la télé/un dingue du cinéma.
People say that by watching TV, I'll end up with square eyes.
On me dit qu'à force de regarder la télé je vais m'esquinter les yeux.
I find I watch TV through habit/by force of habit/out of (pure) habit.
En fait je regarde la télé par habitude.

I'm accustomed to watching a lot of TV.
Je suis habitué(e) à regarder souvent la télé.

It's so easy to get into the way of spending your evenings in front of the box.
C'est si facile de s'habituer à passer ses soirées devant sa télé.
I've fallen into the habit of watching anything and everything.
Je me suis mis peu à peu à regarder tout et n'importe quoi.
I do the same things day in day out.
Je fais les mêmes choses à longueur de journée.
I find I'm always making the same mistakes.
Je me trouve toujours en train de faire les mêmes erreurs.
I feel I'm in a rut. Je me sens pris(e) dans une ornière.

PROVERB

Practice makes perfect.
C'est en forgeant qu'on devient forgeron.

PRACTICE MAKES PERFECT

Index (English)

(The first number following each entry refers to the Part (1 to 6), the second number refers to the number of the function. Therefore, 1 : 3 means Part One, function three.)

A

C

E

F

G

H

I

J

L

M

N

O

P

R

S

T

Index (français)

(Le premier chiffre qui suit chaque entrée renvoie à la partie (1 à 6), le second chiffre renvoie au numéro de la fonction linguistique. 1 : 3 **signifie donc "Part One", fonction trois.)**

B

C

D

E

F

G

H

I

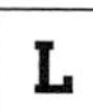

N

Imprimerie Moderne de l'Est
25110 Baume-les-Dames
Dépôt légal : Octobre 1990
N° édition 1219-02 - N° d'impression 7759
Imprimé en France